Collection folio junior

Edmond Eugène Rostand est né à Marseille le 1er avril 1868. Il fait ses études secondaires à Marseille puis à Paris, entreprend ensuite des études de droit alors qu'il préfère la littérature : inscrit au Barreau de Paris, il n'exercera jamais. Ses premières œuvres – une pièce de théatre, *Le Gant rouge* (1881), des poésies –, n'ont aucun succès. Ce n'est que beaucoup plus tard qu' il remportera un véritable triomphe avec *Cyrano de Bergerac* en 1897, puis avec *L'Aiglon* en 1900. Triomphe qui le mènera à l'Académie française en 1901. Il meurt à Paris le 2 décembre 1918.

Philippe Davaine est né en 1953 dans le Nord de la France. Il étudie l'architecture avant de rentrer à l'école des Beaux-Arts de Tourcoing. Il travaille à la réalisation de plusieurs livres pour enfants et collabore à quelques journaux.
Pour Folio Junior, il a illustré *Poil de Carotte* de Jules Renard, *Chagrins précoces* de Danilo Kis, *Le Roman de Renart II*, ainsi que *Le Chien des Baskerville* de sir Arthur Conan Doyle.

Henri Galeron a illustré la couverture de *Cyrano de Bergerac*. Il est né en 1939 dans les Bouches-du-Rhône et aime à dire qu'il ne dessinerait pas s'il pouvait vivre de la pêche à la ligne. Mais heureusement il doit être un bien mauvais pêcheur, car il dessine beaucoup : des couvertures de livres, de disques, des albums... et pour Folio Junior il est l'auteur des couvertures de *L'Appel de la forêt* de Jack London, des *Contes de ma mère l'Oye* de Charles Perrault, de *James et la grosse pêche*, *Charlie et la Chocolaterie* et *L'Enfant qui parlait aux animaux* de Roald Dahl, du *Roi des éléphants* de Yachar Kemal, et de bien d'autres encore.

*C'est à l'âme de CYRANO que je voulais dédier
ce poème.
Mais puisqu'elle a passé en vous, COQUELIN,
c'est à vous que je le dédie.*

E. R.

ISBN 2-07-051996-1
Loi n° 49-956 du 16 juillet 1949
sur les publications destinées à la jeunesse
© Éditions Gallimard, 1990, pour les illustrations et le supplément
© Éditions Gallimard Jeunesse, 1998, pour la présente édition
Dépôt légal : avril 2001
1er dépôt légal dans la même collection : janvier 1990
N° d'édition : 02526 – N° d'impression : 89453
Imprimé en France sur les presses de l'Imprimerie Hérissey

Edmond Rostand

Cyrano de Bergerac

Présentation et notes
de Jean-François Ménard

Illustrations de Philippe Davaine

Gallimard

Avant-propos

« Il faut réhabiliter la passion, et même l'émotion, qui n'est pas ridicule. Le véritable esprit est celui qui donne des ailes à l'enthousiasme. L'éclat de rire est une gamme montante. Ce qui est léger, c'est l'âme. Et voilà pourquoi il faut un théâtre où (...) les poètes, sans le faire exprès, donnent des leçons d'âme ! » Ainsi s'exprime Edmond Rostand dans son discours de réception à l'Académie française, où il est élu en 1901. Il a alors trente-trois ans. Cyrano de Bergerac a été joué pour la première fois quatre ans plus tôt, le 27 décembre 1897. Et Cyrano a bel et bien donné « des ailes à l'enthousiasme », un enthousiasme qui s'était répandu en quelques jours dans Paris, puis dans toute la France et enfin dans le monde. Car jamais, de mémoire de spectateur, on n'avait vu une pièce de théâtre remporter pareil succès. Le soir de la première, les applaudissements durent plus d'une heure, les comédiens sont rappelés quarante fois, jusqu'à l'aube les échos du triomphe retentissent dans le Tout-Paris des noctambules et, au matin, les journaux débordent des louanges de la critique : « Un grand poète héroï-comique a pris sa place dans la littérature contemporaine, et cette place, c'est la première », écrit l'un, « Un grand poète s'est déclaré hier, de qui l'on peut espérer absolument tout », assure un autre, « Cyrano de Bergerac, c'est du théâtre d'Alexandre Dumas père mis en vers par Victor Hugo », renchérit un troisième. Le Gascon au long nez, bretteur, poète et amoureux héroïque vient de donner au public parisien une « leçon d'âme ».

Jusqu'au dernier moment, cependant, Edmond Rostand a douté. Au point que le soir de la première, peu avant le lever de rideau, il dit d'un air sombre à Constant Coquelin, l'acteur qui, dans quelques instants, va incarner Cyrano sur la scène du théâtre de la Porte-Saint-Martin : « Pardonnez-moi, mon ami, de vous avoir entraîné dans cette désastreuse aventure ! » Fort heureusement, le comédien ne se laisse pas gagner par le pessimisme de l'auteur, et Rostand reste le seul, quelques heures plus tard, à être étonné de son triomphe.

Et pourtant, Edmond Rostand n'en est pas à son coup d'essai ; car si son nom est encore ignoré du grand public, les amateurs de théâtre, eux, connaissent déjà deux de ses pièces : *Les Romanesques*, jouée à la Comédie-Française et *La Princesse lointaine*, dont le rôle principal a été écrit pour, et interprété par, Sarah Bernhardt. Sarah Bernhardt à qui Rostand voue une admiration éperdue, Sarah Bernhardt, demi-déesse du théâtre, monstre sacré par excellence, que tout auteur rêve un jour de voir jouer une de ses œuvres. C'est d'ailleurs en pensant à Sarah Bernhardt qu'Edmond Rostand a écrit le rôle de Roxane. Malheureusement, l'actrice, retenue par d'autres engagements, n'a pas pu créer le rôle. Avec *Les Romanesques*, Rostand a remporté un double succès : public et d'estime. Les critiques ont reconnu en lui un auteur d'avenir et la salle est pleine à chaque représentation. *La Princesse lointaine*, en revanche, malgré la présence de Sarah Bernhardt, est moins bien accueillie. Mais la grande Sarah n'en continue pas moins d'admirer la pièce et elle encourage l'auteur à persévérer.

Car tous ceux qui entourent Edmond Rostand croient en son talent. Il est le seul à n'avoir pas confiance en lui-même. Le premier à déceler ses dons de poète s'appelle René Doumic : il est professeur de lettres au collège Stanislas où Edmond Rostand entre en classe de première – qu'on appelait à l'époque la « rhétorique » – après avoir passé son enfance dans sa ville natale de Marseille. Une enfance dorée, au cours de laquelle la poésie a toujours tenu une place de premier plan. Son père, Eugène Rostand, notable local, banquier et homme d'affaires, passe bon nombre de ses soirées à traduire en français le poète latin Catulle. Il reçoit fréquemment Frédéric Mistral, chantre de la Provence et futur prix Nobel de littérature, et, d'une manière générale, s'entoure volontiers d'artistes et d'hommes de lettres.

C'est au collège Stanislas qu'Edmond Rostand, grâce à son professeur de français, découvre Cyrano de Bergerac – le vrai, l'auteur de *L'Autre Monde* et des *États et Empires du soleil*. Cyrano, qui fut surnommé en son temps « le démon de la bravoure » et combattit héroïquement au siège d'Arras. Rostand est alors âgé de seize ans, et il a en commun avec Cyrano d'avoir le nez trop long à son goût. « Si le nez de Cléopâtre eût été plus court, toute la face de la terre aurait changé », a écrit un jour Blaise Pascal. Paraphrasant le philosophe, on peut imaginer que si celui d'Edmond Rostand avait été moins long, le théâtre français aurait peut-être été privé d'une de ses œuvres les plus célèbres.

Dès sa sortie du collège Stanislas, son baccalauréat de philosophie en poche, le jeune Rostand se consacre à la littérature. Comme il se doit, il habite alors une petite chambre d'étudiant – peut-on imaginer un jeune poète écrivant ses premiers vers ailleurs que dans une petite chambre d'étudiant, si possible en ayant froid et le ventre vide ? A la même époque, son père rencontre dans le train une jeune fille, belle, délicate et sensible, qu'il invite dans la propriété familiale de Marseille pour lui présenter son fils. A l'occasion d'un voyage chez ses parents, celui-ci la rencontre en effet, une idylle se noue, et la jeune fille deviendra la femme d'Edmond Rostand. Elle s'appelle Rosemonde Gérard. Elle aussi écrit des vers. Deux d'entre eux resteront à jamais célèbres :

Car, vois-tu, chaque jour je t'aime davantage,
Aujourd'hui plus qu'hier et bien moins que demain.

Le premier recueil de vers publié, à compte d'auteur, par Edmond Rostand s'appelle *Les Musardises*. C'est un échec total, mais qu'importe : un auteur qui se respecte se doit de connaître l'échec à ses débuts, son succès n'en paraîtra que plus éclatant par la suite. Par bonheur, le succès ne tardera guère, puisque Edmond Rostand n'a que vingt-neuf ans lorsque *Cyrano* triomphe. Un autre triomphe suivra, quelques années plus tard : celui de *L'Aiglon*, qui met en scène le fils de Napoléon 1er, un rôle dans lequel s'illustrera une fois encore la mythique Sarah Bernhardt. Ce sera ensuite *Chantecler*, sorte de fable satirique dont le personnage principal est un coq entouré des autres animaux de la basse-cour. La pièce sera diversement appréciée et paraîtra même scandaleuse à certains. Mais le scandale, parfois, ajoute à la renommée, et Rostand restera jusqu'à la fin de sa vie, et bien au-delà, l'un des grands poètes de ce tournant du siècle qu'on appelle communément « la Belle Époque ».

Près de cent ans plus tard, *Cyrano de Bergerac* demeure le chef-d'œuvre d'Edmond Rostand. Mieux encore qu'homme de théâtre, l'auteur s'y révèle homme de spectacle. Tout, dans *Cyrano*, bouge et vit à la simple lecture : la seule description des décors suffit à faire naître dans l'imagination du lecteur le grouillement de l'Hôtel de Bourgogne, les fumets délectables de la rôtisserie du bon Ragueneau, les soirs d'été dans les rues paisibles du Marais, la fureur de la guerre ou la raideur glacée du couvent. Quant aux alexandrins, ils paraissent si naturels qu'on est tout étonné, le rideau tombé ou le livre refermé, de s'entendre à nouveau parler en prose. Dès son apparition, Cyrano – le plus long rôle du répertoire français – emporte le spectateur ou le lecteur dans son sillage empanaché et toutes les émotions du théâtre, rires et pleurs mêlés, tourbillonnent sans répit jusqu'à l'ultime bravoure du Gascon ne cédant à la mort que debout, et l'épée à la main. Toujours actuel, sans avoir rien perdu de sa verve ni de sa suprême élégance, Cyrano continue de donner « des ailes à l'enthousiasme ».

Cette nouvelle édition, complétée d'un dossier de jeux et d'un choix de textes qui rassemblent quelques amoureux célèbres de la littérature, de Don Quichotte à Roméo et Juliette, offrira à chacun l'occasion d'imaginer son propre Cyrano, en rêvant d'amour, de bravoure et... de panache !

Premier acte

Une représentation
à l'hôtel de Bourgogne [1]

La salle de l'hôtel de Bourgogne, en 1640. Sorte de hangar de jeu de paume aménagé et embelli pour des représentations.

La salle est un carré long : on la voit en biais, de sorte qu'un de ses côtés forme le fond qui part du premier plan, à droite, et va au dernier plan, à gauche, faire angle avec la scène, qu'on aperçoit en pan coupé.

Cette scène est encombrée, des deux côtés, le long des coulisses, par des banquettes. Le rideau est formé par deux tapisseries qui peuvent s'écarter. Au-dessus du manteau d'Arlequin [2], les armes royales. On descend de l'estrade dans la salle par de larges marches. De chaque côté de ces marches, la place des violons. Rampe de chandelles.

Deux rangs superposés de galeries latérales : le rang supérieur est divisé en loges. Pas de sièges au parterre, qui est la scène même du théâtre ; au fond de ce parterre, c'est-à-dire à droite, premier plan, quelques bancs formant gradins et, sous un escalier qui monte vers des places supérieures, et dont on

---

1. Ancienne résidence des ducs de Bourgogne. Le théâtre fut construit dans la partie ouest de l'ancien hôtel en 1548. Il connut une grande activité au XVIIᵉ siècle. *Andromaque* et *Phèdre*, de Jean Racine, y furent notamment représentés. Il ne reste aujourd'hui de cet édifice que la tour de Jean sans Peur, au 20, rue Étienne-Marcel.
2. Encadrement d'une scène de théâtre sur lequel des draperies sont parfois peintes en trompe-l'œil.

ne voit que le départ, une sorte de buffet orné de petits lustres, de vases fleuris, de verres de cristal, d'assiettes de gâteaux, de flacons, etc.

Au fond, au milieu, sous la galerie de loges, l'entrée du théâtre. Grande porte qui s'entrebâille pour laisser passer les spectateurs. Sur les battants de cette porte, ainsi que dans plusieurs coins et au-dessus du buffet, des affiches rouges sur lesquelles on lit : La Clorise.

Au lever du rideau, la salle est dans une demi-obscurité, vide encore. Les lustres sont baissés au milieu du parterre, attendant d'être allumés.

SCÈNE PREMIÈRE

Le Public, qui arrive peu à peu. Cavaliers, Bourgeois,
Laquais, Pages, Tire-laine, le Portier, etc.,
puis les Marquis, CUIGY, BRISSAILLE,
la Distributrice, les Violons, etc.

On entend derrière la porte un tumulte de voix, puis un cavalier entre brusquement.

LE PORTIER, *le poursuivant.*

Holà ! vos quinze sols !

LE CAVALIER

J'entre gratis !

LE PORTIER

Pourquoi ?

LE CAVALIER

Je suis chevau-léger de la maison du Roi !

LE PORTIER, *à un autre cavalier qui vient d'entrer.*

Vous ?

DEUXIÈME CAVALIER

Je ne paie pas !

14

LE PORTIER

Mais...

DEUXIÈME CAVALIER

Je suis mousquetaire.

PREMIER CAVALIER, *au deuxième.*

On ne commence qu'à deux heures. Le parterre
Est vide. Exerçons-nous au fleuret.

> *Ils font des armes avec des fleurets qu'ils*
> *ont apportés.*

UN LAQUAIS, *entrant.*

Pst... Flanquin...

UN AUTRE, *déjà arrivé.*

Champagne ?...

LE PREMIER, *lui montrant des jeux qu'il sort*
de son pourpoint.

Cartes. Dés.

> *Il s'assied par terre.*

Jouons.

LE DEUXIÈME, *même jeu.*

Oui, mon coquin.

PREMIER LAQUAIS, *tirant de sa poche un bout de chandelle*
qu'il allume et colle par terre.

J'ai soustrait à mon maître un peu de luminaire.

UN GARDE, *à une bouquetière qui s'avance.*

C'est gentil de venir avant que l'on n'éclaire !...

> *Il lui prend la taille.*

UN DES BRETTEURS, *recevant un coup de fleuret.*

Touche !

UN DES JOUEURS

Trèfle !

LE GARDE, *poursuivant la fille.*

Un baiser !

LA BOUQUETIÈRE, *se dégageant.*

On voit !...

LE GARDE, *l'entraînant dans les coins sombres.*

Pas de danger !

UN HOMME, *s'asseyant par terre avec d'autres
porteurs de provisions de bouche.*

Lorsqu'on vient en avance, on est bien pour manger.

UN BOURGEOIS, *conduisant son fils.*

Plaçons-nous là, mon fils.

UN JOUEUR

Brelan d'as !

UN HOMME, *tirant une bouteille de sous son manteau et
s'asseyant aussi.*

Un ivrogne
Doit boire son bourgogne...

Il boit.

à l'hôtel de Bourgogne !

LE BOURGEOIS, *à son fils.*

Ne se croirait-on pas en quelque mauvais lieu ?

Il montre l'ivrogne du bout de sa canne.

Buveurs...

En rompant, un des cavaliers le bouscule.

Bretteurs !

Il tombe au milieu des joueurs.

16

Joueurs !

LE GARDE, *derrière lui, lutinant toujours la femme.*

Un baiser !

LE BOURGEOIS, *éloignant vivement son fils.*

Jour de Dieu !
– Et penser que c'est dans une salle pareille
Qu'on joua du Rotrou [1], mon fils !

LE JEUNE HOMME

Et du Corneille !

UNE BANDE DE PAGES, *se tenant par la main,*
entre en farandole et chante.

Tra la la la la la la la la la lalère...

LE PORTIER, *sévèrement aux pages.*

Les pages, pas de farce !...

PREMIER PAGE, *avec une dignité blessée.*

Oh ! Monsieur ! ce soupçon !...

Vivement au deuxième, dès que le portier
a tourné le dos.

As-tu de la ficelle ?

LE DEUXIÈME

Avec un hameçon.

PREMIER PAGE

On pourra de là-haut pêcher quelque perruque.

UN TIRE-LAINE, *groupant autour de lui plusieurs*
hommes de mauvaise mine.

Or çà, jeunes escrocs, venez qu'on vous éduque :
Puis donc que [2] vous volez pour la première fois...

1. Jean de Rotrou (1609-1650) : auteur dramatique français fécond
dont plus de trente pièces de théâtre nous sont restées.
2. Puisque.

DEUXIÈME PAGE, *criant à d'autres pages*
aux galeries supérieures.

Hep ! Avez-vous des sarbacanes ?

TROISIÈME PAGE

Et des pois !

Il souffle et les crible de pois.

LE JEUNE HOMME, *à son père.*

Que va-t-on nous jouer ?

LE BOURGEOIS

Clorise.

LE JEUNE HOMME

De qui est-ce ?

LE BOURGEOIS

De monsieur Balthazar Baro [1]. C'est une pièce !...

Il remonte au bras de son fils.

LE TIRE-LAINE, *à ses acolytes.*

... La dentelle surtout des canons [2], coupez-la !

UN SPECTATEUR, *à un autre, lui montrant*
une encoignure élevée.

Tenez, à la première du *Cid*, j'étais là !

LE TIRE-LAINE, *faisant avec ses doigts le geste de subtiliser.*

Les montres...

LE BOURGEOIS, *redescendant, à son fils.*

Vous verrez des acteurs très illustres...

---

1. Auteur dramatique (1590-1650) qui fut le secrétaire d'Honoré
d'Urfé, auteur du roman *L'Astrée*, paru en 1607. *L'Astrée* connut un
succès considérable parmi les précieux.
2. Ornement de dentelle attaché au genou et qui entourait la jambe.

LE TIRE-LAINE, *faisant le geste de tirer
par petites secousses furtives.*

Les mouchoirs...

LE BOURGEOIS

Montfleury...

QUELQU'UN, *criant de la galerie supérieure.*

Allumez donc les lustres !

LE BOURGEOIS

... Bellerose, l'Épy, la Beaupré, Jodelet [1] !

UN PAGE, *au parterre.*

Ah ! voici la distributrice !...

LA DISTRIBUTRICE, *paraissant derrière le buffet.*

Oranges, lait,
Eau de framboise, aigre de cèdre...

Brouhaha à la porte.

UNE VOIX DE FAUSSET

Place, brutes !

UN LAQUAIS, *s'étonnant.*

Les marquis !... au parterre ?...

UN AUTRE LAQUAIS

Oh ! pour quelques minutes.

Entre une bande de petits marquis.

UN MARQUIS, *voyant la salle à moitié vide.*

Hé quoi ! Nous arrivons ainsi que les drapiers.
Sans déranger les gens ? sans marcher sur les pieds ?
Ah fi ! fi ! fi !

1. Tous ces comédiens ont réellement existé.

Il se trouve devant d'autres gentils-hommes entrés peu avant.

Cuigy ! Brissaille !

Grandes embrassades.

CUIGY

Des fidèles !...
Mais oui, nous arrivons devant que les chandelles...

LE MARQUIS

Ah ! ne m'en parlez pas ! Je suis dans une humeur...

UN AUTRE

Console-toi, marquis, car voici l'allumeur !

LA SALLE, *saluant l'entrée de l'allumeur.*

Ah !...

On se groupe autour des lustres qu'il allume. Quelques personnes ont pris place aux galeries. Lignière entre au parterre, donnant le bras à Christian de Neuvillette. Lignière, un peu débraillé, figure d'ivrogne distingué. Christian, vêtu élégamment, mais d'une façon un peu démodée, paraît préoccupé et regarde les loges.

SCÈNE II

Les Mêmes, CHRISTIAN, LIGNIÈRE, puis RAGUENEAU
et LE BRET.

CUIGY

Lignière !

BRISSAILLE, *riant.*

Pas encore gris !...

22

LIGNIÈRE, *bas à Christian.*

Je vous présente ?

Signe d'assentiment de Christian.

Baron de Neuvillette.

Saluts.

LA SALLE, *acclamant l'ascension du premier lustre allumé.*

Ah !

CUIGY, *à Brissaille, en regardant Christian.*

La tête est charmante !

PREMIER MARQUIS, *qui a entendu.*

Peuh !...

LIGNIÈRE, *présentant à Christian.*

Messieurs de Cuigy, de Brissaille...

CHRISTIAN, *s'inclinant.*

Enchanté !...

PREMIER MARQUIS, *au deuxième.*

Il est assez joli, mais n'est pas ajusté [1]
Au dernier goût.

LIGNIÈRE, *à Cuigy.*

Monsieur débarque de Touraine.

CHRISTIAN

Oui, je suis à Paris depuis vingt jours à peine.
J'entre aux gardes demain, dans les Cadets [2].

1. Habillé.
2. Vient du mot gascon *capdet* qui signifiait chef. On désignait ainsi les jeunes nobles gascons qui embrassaient la carrière militaire.

PREMIER MARQUIS, *regardant les personnes*
qui entrent dans les loges.

Voilà

La présidente Aubry !

LA DISTRIBUTRICE

Oranges, lait...

LES VIOLONS, *s'accordant*.

La... la...

CUIGY, *à Christian, lui désignant la salle qui se garnit.*

Du monde !

CHRISTIAN

Eh ! oui, beaucoup.

PREMIER MARQUIS

Tout le bel air !

Ils nomment les femmes à mesure
qu'elles entrent, très parées, dans les loges.
Envois de saluts, réponses de sourires.

DEUXIÈME MARQUIS

Mesdames

De Guéméné...

CUIGY

De Bois-Dauphin...

PREMIER MARQUIS

Que nous aimâmes...

BRISSAILLE

De Chavigny...

DEUXIÈME MARQUIS

Qui de nos cœurs va se jouant !

24

Tiens, monsieur de Corneille est arrivé de Rouen.

LE JEUNE HOMME, *à son père.*

L'Académie est là ?

LE BOURGEOIS

   Mais... j'en vois plus d'un membre ;
Voici Boudu, Boissat, et Cureau de la Chambre ;
Porchères, Colomby, Bourzeys, Bourdon, Arbaud [1]...
Tous ces noms dont pas un ne mourra, que c'est beau !

PREMIER MARQUIS

Attention ! nos précieuses prennent place :
Barthénoïde, Urimédonte, Cassandace.
Félixérie [2]...

DEUXIÈME MARQUIS, *se pâmant.*

   Ah ! Dieu ! leurs surnoms sont exquis !
Marquis, tu les sais tous ?

PREMIER MARQUIS

    Je les sais tous, marquis !

LIGNIÈRE, *prenant Christian à part.*

Mon cher, je suis entré pour vous rendre service :
La dame ne vient pas. Je retourne à mon vice !

CHRISTIAN, *suppliant.*

Non !... Vous qui chansonnez et la ville et la cour,
Restez : vous me direz pour qui je meurs d'amour.

LE CHEF DES VIOLONS, *frappant sur son pupitre,*
avec son archet.

Messieurs les violons !...

     Il lève son archet.

---

1. Immortels de l'époque.
2. Les précieuses s'inventaient volontiers des noms compliqués, très
en vogue dans les salons littéraires.

Macarons, citronnée...

Les violons commencent à jouer.

CHRISTIAN

J'ai peur qu'elle ne soit coquette et raffinée,
Je n'ose lui parler car je n'ai pas d'esprit.
Le langage aujourd'hui qu'on parle et qu'on écrit,
Me trouble. Je ne suis qu'un bon soldat timide.
– Elle est toujours à droite, au fond : la loge vide.

LIGNIÈRE, *faisant mine de sortir.*

Je pars.

CHRISTIAN, *le retenant encore.*

Oh ! non, restez !

LIGNIÈRE

Je ne peux. D'Assoucy
M'attend au cabaret. On meurt de soif, ici.

LA DISTRIBUTRICE, *passant devant lui avec un plateau.*

Orangeade ?

LIGNIÈRE

Fi !

LA DISTRIBUTRICE

Lait ?

LIGNIÈRE

Pouah !

LA DISTRIBUTRICE

Rivesalte ?

LIGNIÈRE

Halte !

A Christian.

Je reste encore un peu. – Voyons ce rivesalte [1].

Il s'assied près du buffet. La distributrice lui verse du rivesalte.

CRIS, *dans le public à l'entrée d'un petit homme grassouillet et réjoui.*

Ah ! Ragueneau !...

LIGNIÈRE, *à Christian.*

Le grand rôtisseur Ragueneau.

RAGUENEAU, *costume de pâtissier endimanché, s'avançant vivement vers Lignière.*

Monsieur, avez-vous vu Monsieur de Cyrano ?

LIGNIÈRE, *présentant Ragueneau à Christian.*

Le pâtissier des comédiens et des poètes !

RAGUENEAU, *se confondant.*

Trop d'honneur...

LIGNIÈRE

Taisez-vous, Mécène [2] que vous êtes !

RAGUENEAU

Oui, ces messieurs chez moi se servent...

LIGNIÈRE

A crédit.

Poète de talent lui-même...

RAGUENEAU

Ils me l'ont dit.

1. Vin blanc doux des Pyrénées.
2. Chevalier romain de l'Antiquité, qui protégeait les savants et les artistes. Son nom, devenu commun, désigne quelqu'un qui use de sa fortune pour financer des œuvres de l'esprit.

Fou de vers !

RAGUENEAU

Il est vrai que pour une odelette...

LIGNIÈRE

Vous donnez une tarte...

RAGUENEAU

Oh ! une tartelette !

LIGNIÈRE

Brave homme, il s'en excuse ! Et pour un triolet
Ne donnâtes-vous pas ?...

RAGUENEAU

Des petits pains !

LIGNIÈRE, *sévèrement.*

Au lait.

— Et le théâtre ! vous l'aimez ?

RAGUENEAU

Je l'idolâtre.

LIGNIÈRE

Vous payez en gâteaux vos billets de théâtre !
Votre place, aujourd'hui, là, voyons, entre nous,
Vous a coûté combien ?

RAGUENEAU

Quatre flans. Quinze choux.

Il regarde de tous côtés.

Monsieur de Cyrano n'est pas là ? Je m'étonne.

LIGNIÈRE

Pourquoi ?

RAGUENEAU

Montfleury joue !

LIGNIÈRE

En effet, cette tonne [1]
Va nous jouer ce soir le rôle de Phédon.
Qu'importe à Cyrano ?

RAGUENEAU

Mais vous ignorez donc ?
Il fit à Montfleury, messieurs, qu'il prit en haine,
Défense, pour un mois, de reparaître en scène.

LIGNIÈRE, *qui en est à son quatrième petit verre.*

Eh bien ?

RAGUENEAU

Montfleury joue !

CUIGY, *qui s'est rapproché de son groupe.*

Il n'y peut rien.

RAGUENEAU

Oh ! oh !
Moi, je suis venu voir !

PREMIER MARQUIS

Quel est ce Cyrano ?

CUIGY

C'est un garçon versé dans les colichemardes [2].

DEUXIÈME MARQUIS

Noble ?

CUIGY

Suffisamment. Il est cadet aux gardes.

1. Très grand tonneau.
2. Sorte d'épée.

*Montrant un gentilhomme qui va et vient
dans la salle comme s'il cherchait quelqu'un.*

Mais son ami Le Bret peut vous dire...

Il appelle.

Le Bret !

Le Bret descend vers eux.

Vous cherchez Bergerac ?

LE BRET

Oui, je suis inquiet !...

CUIGY

N'est-ce pas que cet homme est des moins ordinaires ?

LE BRET, *avec tendresse.*

Ah ! c'est le plus exquis des êtres sublunaires [1] !

RAGUENEAU

Rimeur !

CUIGY

Bretteur !

BRISSAILLE

Physicien !

LE BRET

Musicien !

LIGNIÈRE

Et quel aspect hétéroclite que le sien !

1. Terrestre, en langage poétique (littéralement : situé sous la lune).

Certes, je ne crois pas que jamais nous le peigne
Le solennel Monsieur Philippe de Champaigne[1];
Mais bizarre, excessif, extravagant, falot,
Il eût fourni, je pense, à feu Jacques Callot [2]
Le plus fol spadassin, à mettre entre ses masques :
Feutre à panache triple et pourpoint à six basques,
Cape que par-derrière, avec pompe, l'estoc
Lève, comme une queue insolente de coq,
Plus fier que tous les Artabans [3] dont la Gascogne
Fut et sera toujours l'alme [4] mère Gigogne [5],
Il promène en sa fraise à la Pulcinella [6],
Un nez !... Ah ! messeigneurs, quel nez que ce nez-là !...
On ne peut voir passer un pareil nasigère
Sans s'écrier : « Oh ! non, vraiment, il exagère ! »
Puis on sourit, on dit : « Il va l'enlever... » Mais
Monsieur de Bergerac ne l'enlève jamais.

LE BRET, *hochant la tête.*

Il le porte, – et pourfend quiconque le remarque !

RAGUENEAU, *fièrement.*

Son glaive est la moitié des ciseaux de la Parque [7] !

PREMIER MARQUIS, *haussant les épaules.*

Il ne viendra pas !

1. Peintre français (1602-1674) d'origine flamande, qui fit notamment un célèbre portrait de Richelieu que l'on peut voir au Louvre.
2. Graveur français (1592-1635) très apprécié de Richelieu et de Louis XIII.
3. Héros d'un roman du XVIIe siècle, *Cléopâtre*, de Gautier de Coste de la Calprenède. Sa fierté chatouilleuse est passée dans l'expression : fier comme Artaban.
4. Bienfaisant et nourricier.
5. Personnage du théâtre populaire, femme géante symbolisant la fécondité.
6. Nom italien de Polichinelle.
7. Divinités de la Rome antique qui présidaient aux destinées des hommes. Elles étaient trois sœurs : l'une filait le fil de la vie, la deuxième l'enroulait sur un fuseau, la troisième le coupait quand bon lui semblait. D'où, ici, l'allusion aux ciseaux de la Parque qui décidait de la mort de chacun en coupant le fil de chaque vie.

RAGUENEAU

Si !... Je parie un poulet
A la Ragueneau !

LE MARQUIS, *riant.*

Soit !

Rumeurs d'admiration dans la salle.
Roxane vient de paraître dans sa loge. Elle
s'assied sur le devant, sa duègne [1] prend
place au fond. Christian, occupé à payer la
distributrice, ne regarde pas.

DEUXIÈME MARQUIS, *avec des petits cris.*

Ah ! messieurs ! mais elle est
Épouvantablement ravissante !

PREMIER MARQUIS

Une pêche
Qui sourirait avec une fraise !

DEUXIÈME MARQUIS

Et si fraîche
Qu'on pourrait, l'approchant, prendre un rhume de cœur !

CHRISTIAN, *lève la tête, aperçoit Roxane, et saisit*
vivement Lignière par le bras.

C'est elle !

LIGNIÈRE, *regardant.*

Ah ! c'est elle ?...

CHRISTIAN

Oui. Dites vite. J'ai peur.

LIGNIÈRE, *dégustant son rivesalte à petits coups.*

Magdeleine Robin, dite Roxane. – Fine.
Précieuse.

1. Femme âgée qui servait de gouvernante aux jeunes filles de bonne
famille.

CHRISTIAN

Hélas !

LIGNIÈRE

Libre. Orpheline. Cousine.
De Cyrano, – dont on parlait...

A ce moment un seigneur très élégant, le cordon bleu en sautoir, entre dans la loge et, debout, cause un instant avec Roxane.

CHRISTIAN, *tressaillant.*

Cet homme ?...

LIGNIÈRE, *qui commence à être gris, clignant de l'œil.*

Hé ! Hé !...

– Comte de Guiche. Épris d'elle. Mais marié
A la nièce d'Armand de Richelieu. Désire
Faire épouser Roxane à certain triste sire,
Un monsieur de Valvert, vicomte... et complaisant.
Elle n'y souscrit pas, mais de Guiche est puissant :
Il peut persécuter une simple bourgeoise.
D'ailleurs j'ai dévoilé sa manœuvre sournoise
Dans une chanson qui... Ho ! il doit m'en vouloir !
– La fin était méchante... Écoutez...

Il se lève en titubant, le verre haut, prêt à chanter.

CHRISTIAN

Non. Bonsoir.

LIGNIÈRE

Vous allez ?

CHRISTIAN

Chez monsieur de Valvert !

LIGNIÈRE

Prenez garde :
C'est lui qui vous tuera !

Lui désignant du coin de l'œil Roxane.

Restez. On vous regarde.

CHRISTIAN

C'est vrai !

Il reste en contemplation. Le groupe de tire-laine, à partir de ce moment, le voyant la tête en l'air et bouche bée, se rapproche de lui.

LIGNIÈRE

C'est moi qui pars. J'ai soif ! Et l'on m'attend.
– Dans les tavernes !

Il sort en zigzaguant.

LE BRET, *qui a fait le tour de la salle, revenant vers Ragueneau, d'une voix rassurée.*

Pas de Cyrano.

RAGUENEAU, *incrédule.*

Pourtant...

LE BRET

Ah ! je veux espérer qu'il n'a pas vu l'affiche !

LA SALLE

Commencez ! Commencez !

SCÈNE III

Les Mêmes, moins Lignière ; DE GUICHE, VALVERT,
puis MONTFLEURY.

UN MARQUIS, *voyant de Guiche, qui descend de la loge de Roxane, traverse le parterre, entouré de seigneurs obséquieux, parmi lesquels le vicomte de Valvert.*

Quelle cour, ce de Guiche !

Fi !... Encore un Gascon !

LE PREMIER

Le Gascon souple et froid,
Celui qui réussit !... Saluons-le, crois-moi.

Ils vont vers de Guiche.

DEUXIÈME MARQUIS

Les beaux rubans ! Quelle couleur, comte de Guiche ?
Baise-moi-ma-mignonne ou bien *Ventre-de-Biche ?*

DE GUICHE

C'est couleur *Espagnol malade.*

PREMIER MARQUIS

La couleur
Ne ment pas, car bientôt, grâce à votre valeur,
L'Espagnol ira mal, dans les Flandres !

DE GUICHE

Je monte
Sur scène. Venez-vous ?

*Il se dirige, suivi de tous les marquis et
gentilshommes, vers le théâtre. Il se
retourne et appelle.*

Viens, Valvert !

CHRISTIAN, *qui les écoute et les observe, tressaille
en entendant ce nom.*

Le vicomte !
Ah ! je vais lui jeter à la face mon...

*Il met la main dans sa poche, et y ren-
contre celle d'un tire-laine en train de le
dévaliser. Il se retourne.*

Hein ?

Ay !...

CHRISTIAN, *sans le lâcher.*

Je cherchais un gant !

LE TIRE-LAINE, *avec un sourire piteux.*

Vous trouvez une main.

Changeant de ton, bas et vite.

Lâchez-moi. Je vous livre un secret.

CHRISTIAN, *le tenant toujours.*

Quel ?

LE TIRE-LAINE

Lignière...

Qui vous quitte...

CHRISTIAN, *de même.*

Eh bien ?

LE TIRE-LAINE

... touche à son heure dernière.
Une chanson qu'il fit blessa quelqu'un de grand,
Et cent hommes – j'en suis – ce soir sont postés !...

CHRISTIAN

Cent !

Par qui ?

LE TIRE-LAINE

Discrétion...

CHRISTIAN, *haussant les épaules.*

Oh !

LE TIRE-LAINE, *avec beaucoup de dignité.*

Professionnelle !

Où sont-ils postés ?

LE TIRE-LAINE

A la porte de Nesle.
Sur son chemin. Prévenez-le !

CHRISTIAN, *qui lui lâche enfin le poignet.*

Mais où le voir ?

LE TIRE-LAINE

Allez courir tous les cabarets : *le Pressoir*
D'Or, la Pomme de Pin, la Ceinture qui craque,
Les Deux Torches, les Trois Entonnoirs, – et dans chaque,
Laissez un petit mot d'écrit l'avertissant.

CHRISTIAN

Oui, je cours ! Ah ! les gueux ! Contre un seul homme,
[cent !

Regardant Roxane avec amour.

La quitter... elle !

Avec fureur, Valvert.

Et lui !... – Mais il faut que je sauve
Lignière !...

*Il sort en courant. – De Guiche, le
vicomte, les marquis, tous les gentils-
hommes ont disparu derrière le rideau pour
prendre place sur les banquettes de la scène.
Le parterre est complètement rempli. Plus
une place vide aux galeries et aux loges.*

LA SALLE

Commencez.

UN BOURGEOIS, *dont la perruque s'envole au bout d'une
ficelle, pêchée par un page de la galerie supérieure.*

Ma perruque !

37

CRIS DE JOIE

Il est chauve !...

Bravo, les pages !... Ha ! ha ! ha !...

LE BOURGEOIS, *furieux, montrant le poing.*

Petit gredin !

RIRES ET CRIS, *qui commencent très fort et vont décroissant.*

Ha ! ha ! ha ! ha ! ha ! ha !

Silence complet.

LE BRET, *étonné.*

Ce silence soudain ?...

Un spectateur lui parle bas.

Ah ?...

LE SPECTATEUR

La chose me vient d'être certifiée.

MURMURES, *qui courent.*

Chut ! – Il paraît ?... – Non !... – Si ! Dans la loge
[grillée. –
Le Cardinal [1] ! – Le Cardinal ? – Le Cardinal !

UN PAGE

Ah ! diable, on ne va pas pouvoir se tenir mal !...

*On frappe sur la scène. Tout le monde
s'immobilise. Attente.*

LA VOIX D'UN MARQUIS, *dans le silence, derrière le rideau.*

Mouchez cette chandelle !

UN AUTRE MARQUIS, *passant la tête par la fente du rideau.*

Une chaise !

1. Richelieu.

Une chaise est passée, de main en main, au-dessus des têtes. Le marquis la prend et disparaît, non sans avoir envoyé quelques baisers aux loges.

UN SPECTATEUR

Silence !

On refrappe les trois coups. Le rideau s'ouvre. Tableau. Les marquis assis sur les côtés, dans des poses insolentes. Toile de fond représentant un décor bleuâtre de pastorale. Quatre petits lustres de cristal éclairent la scène. Les violons jouent doucement.

LE BRET, *à Ragueneau, bas.*

Montfleury entre en scène ?

RAGUENEAU, *bas aussi.*

Oui, c'est lui qui commence.

LE BRET

Cyrano n'est pas là.

RAGUENEAU

J'ai perdu mon pari.

LE BRET

Tant mieux ! tant mieux !

On entend un air de musette, et Montfleury paraît en scène, énorme, dans un costume de berger de pastorale, un chapeau garni de roses penché sur l'oreille, et soufflant dans une cornemuse enrubannée.

LE PARTERRE *applaudissant.*

Bravo, Montfleury ! Montfleury !

MONTFLEURY, *après avoir salué, jouant le rôle de Phédon.*

« *Heureux qui loin des cours, dans un lieu solitaire,*
Se prescrit à soi-même un exil volontaire,
Et qui, lorsque Zéphire [1] *a soufflé sur les bois... »*

UNE VOIX, *au milieu du parterre.*

Coquin, ne t'ai-je pas interdit pour un mois ?

Stupeur. Tout le monde se retourne. Mur-
mures.

VOIX DIVERSES

Hein ? – Quoi ? – Qu'est-ce ?...

On se lève dans les loges, pour voir.

CUIGY

C'est lui !

LE BRET, *terrifié.*

Cyrano !

LA VOIX

Roi des pitres,

Hors de scène à l'instant !

TOUTE LA SALLE, *indignée.*

Oh !

MONTFLEURY

Mais...

LA VOIX

Tu récalcitres [2] ?

VOIX DIVERSES, *du parterre, des loges.*

Chut ! – Assez ! – Montfleury, jouez ! – Ne craignez rien !...

1. Ou Zéphyr : nom donné dans l'Antiquité à un vent favorable assi-
milé à une divinité.
2. Du verbe latin *recalcitrare* (ruer) qui a donné en français récalci-
trant.

MONTFLEURY, *d'une voix mal assurée.*

« *Heureux qui loin des cours dans un lieu sol...* »

LA VOIX, *plus menaçante.*

Eh bien ?

Faudra-t-il que je fasse, ô Monarque des drôles,
Une plantation de bois sur vos épaules ?

Une canne au bout d'un bras jaillit au-dessus des têtes.

MONTFLEURY, *d'une voix de plus en plus faible.*

« *Heureux qui...* »

La canne s'agite.

LA VOIX

Sortez !

LE PARTERRE

Oh !

MONTFLEURY, *s'étranglant.*

« *Heureux qui loin des cours...* »

CYRANO, *surgissant du parterre, debout sur une chaise,
les bras croisés, le feutre en bataille, la moustache hérissée,
le nez terrible.*

Ah ! je vais me fâcher !...

Sensation à sa vue.

SCÈNE IV

Les Mêmes, CYRANO, puis BELLEROSE, JODELET.

MONTFLEURY, *aux marquis.*

Venez à mon secours,

Messieurs !

42

UN MARQUIS, *nonchalamment.*

Mais jouez donc !

CYRANO

Gros homme, si tu joues
Je vais être obligé de te fesser les joues !

LE MARQUIS

Assez !

CYRANO

Que les marquis se taisent sur leurs bancs,
Ou bien je fais tâter ma canne à leurs rubans !

TOUS LES MARQUIS, *debout.*

C'en est trop !... Montfleury...

CYRANO

Que Montfleury s'en aille.
Ou bien je l'essorille [1] et le désentripaille !

UNE VOIX

Mais...

CYRANO

Qu'il sorte !

UNE AUTRE VOIX

Pourtant...

CYRANO

Ce n'est pas encor fait ?

Avec le geste de retrousser ses manches.

Bon ! je vais sur la scène en guise de buffet,
Découper cette mortadelle d'Italie !

1. Couper les oreilles.

43

MONTFLEURY, *rassemblant toute sa dignité.*

En m'insultant, Monsieur, vous insultez Thalie [1] !

CYRANO, *très poli.*

Si cette Muse, à qui, Monsieur, vous n'êtes rien,
Avait l'honneur de vous connaître, croyez bien
Qu'en vous voyant si gros et bête comme une urne,
Elle vous flanquerait quelque part son cothurne [2].

LE PARTERRE

Montfleury ! – Montfleury ! – La pièce de Baro ! –

CYRANO, *à ceux qui crient autour de lui.*

Je vous en prie, ayez pitié de mon fourreau :
Si vous continuez, il va rendre sa lame !

Le cercle s'élargit.

LA FOULE, *reculant.*

Hé ! là !...

CYRANO, *à Montfleury.*

Sortez de scène !

LA FOULE, *se rapprochant et grondant.*

Oh ! oh !

CYRANO, *se retournant vivement.*

Quelqu'un réclame ?

Nouveau recul.

UNE VOIX, *chantant au fond.*

Monsieur de Cyrano
Vraiment nous tyrannise,
Malgré ce tyranneau
On jouera *La Clorise.*

1. Muse de la comédie.
2. Chaussure à semelle épaisse que portaient les acteurs de tragédie.
Les acteurs de comédie, eux, portaient des socques, sortes de chaussures basses.

TOUTE LA SALLE, *chantant.*

La Clorise ! La Clorise !...

CYRANO

Si j'entends une fois encor cette chanson,
Je vous assomme tous.

UN BOURGEOIS

Vous n'êtes pas Samson [1] !

CYRANO

Voulez-vous me prêter, Monsieur, votre mâchoire ?

UNE DAME, *dans les loges.*

C'est inouï !

UN SEIGNEUR

C'est scandaleux !

UN BOURGEOIS

C'est vexatoire !

UN PAGE

Ce qu'on s'amuse !

LE PARTERRE

Kss ! – Montfleury ! – Cyrano !

CYRANO

Silence !

LE PARTERRE, *en délire.*

Hi han ! Bêê ! Ouah, ouah ! Cocorico !

CYRANO

Je vous...

1. Personnage de la Bible, dont la force surhumaine lui venait de sa
longue chevelure que la traîtresse Dalila coupa pour le livrer à ses ennemis, les Philistins.

Miâou !

CYRANO

Je vous ordonne de vous taire !
Et j'adresse un défi collectif au parterre !
– J'inscris les noms ! – Approchez-vous, jeunes héros !
Chacun son tour ! – Je vais donner des numéros ! –
Allons, quel est celui qui veut ouvrir la liste ?
Vous, Monsieur ? Non ! Vous ? Non ! Le premier duelliste,
Je l'expédie avec les honneurs qu'on lui doit !
– Que tous ceux qui veulent mourir lèvent le doigt.

Silence.

La pudeur vous défend de voir ma lame nue ?
Pas un nom ? Pas un doigt ? – C'est bien. Je continue.

*Se retournant vers la scène où Montfleury
attend avec angoisse.*

Donc, je désire voir le théâtre guéri
De cette fluxion. Sinon...

La main à son épée.

le bistouri !

MONTFLEURY

Je...

CYRANO, *descend de sa chaise, s'assied au milieu du rond
qui s'est formé, s'installe comme chez lui.*

Mes mains vont frapper trois claques, pleine lune !
Vous vous éclipserez à la troisième.

LE PARTERRE, *amusé.*

Ah ?

CYRANO, *frappant dans ses mains.*

Une !

MONTFLEURY

Je...

UNE VOIX, *des loges.*

Restez !

LE PARTERRE

Restera... restera pas...

MONTFLEURY

Je crois,

Messieurs...

CYRANO

Deux !

MONTFLEURY

Je suis sûr qu'il vaudrait mieux que...

CYRANO

Trois !

Montfleury disparaît comme dans une trappe. Tempête de rires, de sifflets et de huées.

LA SALLE

Hu !... hu !... Lâche !... Reviens !...

CYRANO, *épanoui, se renverse sur sa chaise, et croise ses jambes.*

Qu'il revienne, s'il l'ose !

UN BOURGEOIS

L'orateur de la troupe !

Bellerose s'avance et salue.

LES LOGES

Ah !... Voilà Bellerose !

BELLEROSE, *avec élégance.*

Nobles Seigneurs...

LE PARTERRE

Non ! Non ! Jodelet !

JODELET, *s'avance, et, nasillard.*

Tas de veaux !

LE PARTERRE

Ah ! Ah ! Bravo ! très bien ! bravo !

JODELET

Pas de bravos !
Le gros tragédien dont vous aimez le ventre
S'est senti...

C'est un lâche !

Il dut sortir !

Qu'il rentre !

Non !

Si !

UN JEUNE HOMME, *à Cyrano.*

Mais à la fin, Monsieur, quelle raison
Avez-vous de haïr Montfleury ?

CYRANO, *gracieux, toujours assis.*

Jeune oison,
J'ai deux raisons, dont chaque est suffisante seule.
Primo : c'est un acteur déplorable qui gueule,
Et qui soulève avec des han ! de porteur d'eau,
Le vers qu'il faut laisser s'envoler ! – *Secundo :*
Est mon secret...

LE VIEUX BOURGEOIS, *derrière lui.*

Mais vous nous privez sans scrupule
De *La Clorise !* Je m'entête...

CYRANO, *tournant sa chaise vers le bourgeois,*
respectueusement.

Vieille mule,
Les vers du vieux Baro valant moins que zéro,
J'interromps sans remords !

LES PRÉCIEUSES, *dans les loges.*

Ha ! – ho ! – Notre Baro !
Ma chère ! – Peut-on dire ?... Ah ! Dieu !...

CYRANO, *tournant sa chaise vers les loges, galant.*

Belles personnes,
Rayonnez, fleurissez, soyez des échansonnes [1]
De rêve, d'un sourire enchantez un trépas,
Inspirez-nous des vers... mais ne les jugez pas !

BELLEROSE

Et l'argent qu'il va falloir rendre !

CYRANO, *tournant sa chaise vers la scène.*

Bellerose,
Vous avez dit la seule intelligente chose !
Au manteau de Thespis [2] je ne fais pas de trous :

Il se lève, et lançant un sac sur la scène.

Attrapez cette bourse au vol, et taisez-vous !

LA SALLE, *éblouie.*

Ah !... Oh !...

JODELET, *ramassant prestement la bourse et la soupesant.*

A ce prix-là, Monsieur, je t'autorise
A venir chaque jour empêcher *La Clorise !...*

LA SALLE

Hu !... Hu !...

JODELET

Dussions-nous même ensemble être hués !...

BELLEROSE

Il faut évacuer la salle !...

JODELET

Évacuez !...

---

1. Échanson : officier qui avait pour fonction de servir à boire à la table d'un roi ou d'un prince.
2. Auteur grec du vi[e] siècle av. J.-C. On le considère comme le créateur de la tragédie.

On commence à sortir, pendant que Cyrano regarde d'un air satisfait. Mais la foule s'arrête bientôt en entendant la scène suivante, et la sortie cesse. Les femmes qui, dans les loges, étaient déjà debout, leur manteau remis, s'arrêtent pour écouter, et finissent par se rasseoir.

LE BRET, *à Cyrano.*

C'est fou !...

UN FACHEUX, *qui s'est approché de Cyrano.*

Le comédien Montfleury ! quel scandale !
Mais il est protégé par le duc de Candale !
Avez-vous un patron ?

CYRANO

Non !

LE FACHEUX

Vous n'avez pas ?...

CYRANO

Non !

LE FACHEUX

Quoi, pas un grand seigneur pour couvrir de son nom ?...

CYRANO, *agacé.*

Non, ai-je dit deux fois. Faut-il donc que je trisse ?
Non, pas de protecteur...

La main à son épée.

Mais une protectrice !

LE FACHEUX

Mais vous allez quitter la ville ?

51

CYRANO

C'est selon.

LE FACHEUX

Mais le duc de Candale a le bras long !

CYRANO

Moins long

Que n'est le mien...

Montrant son épée.

quand je lui mets cette rallonge !

LE FACHEUX

Mais vous ne songez pas à prétendre...

CYRANO

J'y songe.

LE FACHEUX

Mais...

CYRANO

Tournez les talons, maintenant...

LE FACHEUX

Mais...

CYRANO

Tournez !
– Ou dites-moi pourquoi vous regardez mon nez.

LE FACHEUX, *ahuri.*

Je...

CYRANO, *marchant sur lui.*

Qu'a-t-il d'étonnant ?

LE FACHEUX, *reculant.*

Votre Grâce se trompe...

CYRANO

Est-il mol et ballant, monsieur, comme une trompe...

LE FACHEUX, *même jeu.*

Je n'ai pas...

CYRANO

Ou crochu comme un bec de hibou ?

LE FACHEUX

Je...

CYRANO

Y distingue-t-on une verrue au bout ?

LE FACHEUX

Mais...

CYRANO

Ou si quelque mouche, à pas lents, s'y promène ?
Qu'a-t-il d'hétéroclite ?

LE FACHEUX

Oh !...

CYRANO

Est-ce un phénomène ?

LE FACHEUX

Mais d'y porter les yeux j'avais su me garder !

CYRANO

Et pourquoi, s'il vous plaît, ne pas le regarder ?

LE FACHEUX

J'avais...

53

CYRANO

Il vous dégoûte alors ?

LE FACHEUX

Monsieur...

CYRANO

                    Malsaine

Vous semble sa couleur ?

LE FACHEUX

Monsieur !

CYRANO

                         Sa forme, obscène ?

LE FACHEUX

Mais pas du tout !...

CYRANO

                    Pourquoi donc prendre un air déni-
                                        [grant ?
– Peut-être que monsieur le trouve un peu trop grand ?

LE FACHEUX, *balbutiant.*

Je le trouve petit, tout petit, minuscule !

CYRANO

Hein ? Comment ? m'accuser d'un pareil ridicule !
Petit, mon nez ? Holà !

LE FACHEUX

                    Ciel !

CYRANO

                         Énorme, mon nez !
– Vil camus, sot camard [1], tête plate, apprenez

---

1. Qui a le nez plat.

Que je m'enorgueillis d'un pareil appendice,
Attendu qu'un grand nez est proprement l'indice
D'un homme affable, bon, courtois, spirituel,
Libéral, courageux, tel que je suis, et tel
Qu'il vous est interdit à jamais de vous croire,
Déplorable maraud ! car la face sans gloire

Que va chercher ma main en haut de votre col,
Est aussi dénuée...

Il soufflette.

LE FACHEUX

Aï !

CYRANO

De fierté, d'envol,
De lyrisme, de pittoresque, d'étincelle,
De somptuosité, de Nez enfin, que celle...

*Il le retourne par les épaules, joignant le
geste à la parole.*

Que va chercher ma botte au bas de votre dos !

LE FACHEUX, *se sauvant.*

Au secours ! A la garde !

CYRANO

Avis donc aux badauds
Qui trouveraient plaisant mon milieu de visage,
Et si le plaisantin est noble, mon usage
Est de lui mettre, avant de le laisser s'enfuir,
Par-devant, et plus haut, du fer, et non du cuir !

DE GUICHE, *qui est descendu de la scène, avec les marquis.*

Mais à la fin il nous ennuie !

LE VICOMTE DE VALVERT, *haussant les épaules.*

Il fanfaronne !

DE GUICHE

Personne ne va donc lui répondre ?

LE VICOMTE

Personne ?...
Attendez ! Je vais lui lancer un de ces traits !...

*Il s'avance vers Cyrano qui l'observe, et se
campant devant lui d'un air fat.*

Vous... vous avez un nez... heu... un nez... très grand.

CYRANO, *gravement.*

Très

LE VICOMTE, *riant.*

Ha !

CYRANO, *imperturbable.*

C'est tout ?...

LE VICOMTE

Mais...

CYRANO

Ah ! non ! c'est un peu court, jeune
[homme !
On pouvait dire... Oh ! Dieu !... bien des choses en
[somme.

En variant le ton, – par exemple, tenez :
Agressif : « Moi, monsieur, si j'avais un tel nez,
Il faudrait sur-le-champ que je me l'amputasse ! »
Amical : « Mais il doit tremper dans votre tasse !
Pour boire, faites-vous fabriquer un hanap ! »
Descriptif : « C'est un roc !... c'est un pic !... c'est un cap !
Que dis-je, c'est un cap ?... C'est une péninsule ! »
Curieux : « De quoi sert cette oblongue capsule ?
D'écritoire, monsieur, ou de boîte à ciseaux ? »
Gracieux : « Aimez-vous à ce point les oiseaux
Que paternellement vous vous préoccupâtes
De tendre ce perchoir à leurs petites pattes ? »
Truculent : « Çà, monsieur, lorsque vous pétunez, [1]
La vapeur du tabac vous sort-elle du nez
Sans qu'un voisin ne crie au feu de cheminée ? »
Prévenant : « Gardez-vous, votre tête entraînée

1. Le mot pétun, d'origine brésilienne, désignait jadis le tabac. Pétu-
ner signifie donc fumer.

Par ce poids, de tomber en avant sur le sol ! »
Tendre : « Faites-lui faire un petit parasol
De peur que sa couleur au soleil ne se fane ! »
Pédant : « L'animal seul, monsieur, qu'Aristophane
Appelle Hippocampelephantocamélos
Dut avoir sous le front tant de chair sur tant d'os ! »
Cavalier : « Quoi, l'ami, ce croc est à la mode ?
Pour pendre son chapeau, c'est vraiment très commode ! »
Emphatique : « Aucun vent ne peut, nez magistral,
T'enrhumer tout entier, excepté le mistral ! »
Dramatique : « C'est la mer Rouge quand il saigne ! »
Admiratif : « Pour un parfumeur, quelle enseigne ! »
Lyrique : « Est-ce une conque, êtes-vous un triton ? »
Naïf : « Ce monument, quand le visite-t-on ? »
Respectueux : « Souffrez, monsieur, qu'on vous salue,
C'est là ce qui s'appelle avoir pignon sur rue ! »
Campagnard : « Hé, ardé ! C'est-y un nez ? Nanain !
C'est queuqu'navet géant ou ben queuqu'melon nain ! »
Militaire : « Pointez contre cavalerie ! »
Pratique : « Voulez-vous le mettre en loterie ?
Assurément, monsieur, ce sera le gros lot ! »
Enfin, parodiant Pyrame [1] en un sanglot :
« Le voilà donc ce nez qui des traits de son maître
A détruit l'harmonie ! Il en rougit, le traître ! »
– Voilà ce qu'à peu près, mon cher, vous m'auriez dit
Si vous aviez un peu de lettres et d'esprit :
Mais d'esprit, ô le plus lamentable des êtres,
Vous n'en eûtes jamais un atome, et de lettres
Vous n'avez que les trois qui forment le mot : sot !
Eussiez-vous eu, d'ailleurs, l'invention qu'il faut
Pour pouvoir là, devant ces nobles galeries,
Me servir toutes ces folles plaisanteries,
Que vous n'en eussiez pas articulé le quart
De la moitié du commencement d'une, car
Je me les sers moi-même, avec assez de verve,
Mais je ne permets pas qu'un autre me les serve.

---

1. Allusion à la tragédie de Théophile de Viau, *Pyrame et Thisbé*, qui comporte ces deux vers (acte V, scène II) :
« Ah ! Voici le poignard qui du sang de son maître
S'est souillé lâchement : il en rougit, le traître ! »

Vicomte, laissez donc !

LE VICOMTE, *suffoqué.*

Ces grands airs arrogants !
Un hobereau qui... qui... n'a même pas de gants !
Et qui sort sans rubans, sans bouffettes [1], sans ganses [2] !

CYRANO

Moi, c'est moralement que j'ai mes élégances.
Je ne m'attife pas ainsi qu'un freluquet,
Mais je suis plus soigné si je suis moins coquet ;
Je ne sortirais pas avec, par négligence,
Un affront pas très bien lavé, la conscience
Jaune encor de sommeil dans le coin de son œil,
Un honneur chiffonné, des scrupules en deuil.
Mais je marche sans rien sur moi qui ne reluise,
Empanaché d'indépendance et de franchise ;
Ce n'est pas une taille avantageuse, c'est
Mon âme que je cambre ainsi qu'en un corset,
Et tout couvert d'exploits qu'en rubans je m'attache,
Retroussant mon esprit ainsi qu'une moustache,
Je fais, en traversant les groupes et les ronds,
Sonner les vérités comme des éperons.

LE VICOMTE

Mais, monsieur...

CYRANO

Je n'ai pas de gants ?... la belle affaire !
Il m'en restait un seul... d'une très vieille paire !
— Lequel m'était d'ailleurs encor fort importun :
Je l'ai laissé dans la figure de quelqu'un.

LE VICOMTE

Maraud, faquin, butor de pied plat ridicule !

1. Petits nœuds faits de rubans.
2. Cordonnets décoratifs utilisés comme ornement sur certains vêtements.

CYRANO, *ôtant son chapeau et saluant
comme si le vicomte venait de se présenter.*

Ah ?... Et moi, Cyrano Savinien-Hercule
De Bergerac.

Rires.

LE VICOMTE, *exaspéré.*

Bouffon !

CYRANO, *poussant un cri comme lorsqu'on est saisi
d'une crampe.*

Ay !..

LE VICOMTE, *qui remontait, se retournant.*

Qu'est-ce encor qu'il dit ?

CYRANO, *avec des grimaces de douleur.*

Il faut la remuer, car elle s'engourdit...
– Ce que c'est que de la laisser inoccupée ! –
Ay !...

LE VICOMTE

Qu'avez-vous ?

CYRANO

J'ai des fourmis dans mon épée !

LE VICOMTE, *tirant la sienne.*

Soit !

CYRANO

Je vais vous donner un petit coup charmant.

LE VICOMTE, *méprisant.*

Poète !...

CYRANO

Oui, monsieur, poète ! et tellement,
Qu'en ferraillant je vais – hop ! – à l'improvisade,
Vous composer une ballade.

LE VICOMTE

Une ballade ?

CYRANO

Vous ne vous doutez pas de ce que c'est, je crois ?

LE VICOMTE

Mais...

CYRANO, *récitant comme une leçon.*

La ballade, donc, se compose de trois
Couplets de huit vers...

LE VICOMTE, *piétinant.*

Oh !

CYRANO, *continuant.*

Et d'un envoi de quatre...

LE VICOMTE

Vous...

CYRANO

Je vais tout ensemble en faire une et me battre,
Et vous toucher, Monsieur, au dernier vers.

LE VICOMTE

Non !

CYRANO

Non ?

Déclamant.

« *Ballade du duel qu'en l'hôtel bourguignon
Monsieur de Bergerac eut avec un bélître* [1] *!* »

LE VICOMTE

Qu'est-ce que c'est que ça, s'il vous plaît ?

1. Vaurien.

62

C'est le titre.

LA SALLE, *surexcitée au plus haut point.*

Place ! – Très amusant ! – Rangez-vous ! Pas de bruits !

> *Tableau. Cercle de curieux au parterre, les marquis et les officiers mêlés aux bourgeois et aux gens du peuple ; les pages grimpés sur des épaules pour mieux voir. Toutes les femmes debout dans les loges. A droite, de Guiche et ses gentilshommes. A gauche, Le Bret, Ragueneau, Cuigy, etc.*

CYRANO, *fermant une seconde les yeux.*

Attendez !... Je choisis mes rimes... Là, j'y suis.

> *Il fait ce qu'il dit, à mesure.*

> *Je jette avec grâce mon feutre,*
> *Je fais lentement l'abandon*
> *Du grand manteau qui me calfeutre,*
> *Et je tire mon espadon ;*
> *Élégant comme Céladon [1],*
> *Agile comme Scaramouche [2],*
> *Je vous préviens, cher Myrmidon [3],*
> *Qu'à la fin de l'envoi je touche !*

> *Premiers engagements de fer.*

> *Vous auriez bien dû rester neutre ;*
> *Où vais-je vous larder, dindon ?...*
> *Dans le flanc, sous votre maheutre [4] ?...*
> *Au cœur, sous votre bleu cordon ?...*
> *– Les coquilles tintent, ding-don !*
> *Ma pointe voltige : une mouche !*

1. Personnage de berger amoureux dans le roman, *L'Astrée*, d'Honoré d'Urfé.
2. Personnage traditionnel de la comédie italienne, sorte de fanfaron malicieux.
3. Petit homme insignifiant.
4. Large manche qui allait de l'épaule au coude.

Décidément ! c'est au bedon,
Qu'à la fin de l'envoi, je touche.
Il me manque une rime en eutre...
Vous rompez, plus blanc qu'amidon ?
C'est pour me fournir le mot pleutre !
– Tac ! je pare la pointe dont
Vous espériez me faire don, –
J'ouvre la ligne, – je la bouche...
Tiens bien ta broche, Laridon [1] *!*
A la fin de l'envoi, je touche.

                            Il annonce solennellement.

ENVOI

Prince, demande à Dieu pardon !
Je quarte du pied, j'escarmouche,
Je coupe, je feinte...

                             Se fendant.

                             Hé ! là, donc !

              Le vicomte chancelle ; Cyrano salue.

A la fin de l'envoi, je touche.

Acclamations. Applaudissements dans les
loges. Des fleurs et des mouchoirs tombent.
Les officiers entourent et félicitent Cyrano.
Ragueneau danse d'enthousiasme. Le Bret
est heureux et navré. Les amis du vicomte le
soutiennent et l'emmènent.

LA FOULE, *en un long cri.*

Ah !...

UN CHEVAU-LÉGER

Superbe !

1. Chien replet (son nom vient du latin *laridum* : lard) inventé par La Fontaine dans la fable, *L'Éducation* (VIII, 24). La Fontaine qualifie de « tourne-broches » les chiens qu'il engendra, d'où l'allusion de Cyrano à la « broche » (l'épée) de son adversaire.

UNE FEMME

Joli !

RAGUENEAU

Pharamineux !

UN MARQUIS

Nouveau !...

LE BRET

Insensé !

> *Bousculade autour de Cyrano. On entend :*

... Compliments... félicite... bravo...

VOIX DE FEMME

C'est un héros !...

UN MOUSQUETAIRE, *s'avançant vivement vers Cyrano,*
la main tendue.

Monsieur, voulez-vous me permettre ?...
C'est tout à fait très bien, et je crois m'y connaître ;
J'ai du reste exprimé ma joie en trépignant !...

> *Il s'éloigne.*

CYRANO, *à Cuigy.*

Comment s'appelle donc ce monsieur ?

CUIGY

D'Artagnan.

LE BRET, *à Cyrano, lui prenant le bras.*

Çà, causons !...

CYRANO

Laisse un peu sortir cette cohue...

> *A Bellerose.*

Je peux rester ?

66

BELLEROSE, *respectueusement.*

Mais oui !...

> *On entend des cris au-dehors.*

JODELET, *qui a regardé.*

C'est Montfleury qu'on hue !

BELLEROSE, *solennellement.*

Sic transit [1] !...

> *Changeant de ton, au portier et au moucheur de chandelles.*

Balayez. Fermez. N'éteignez pas.
Nous allons revenir après notre repas.
Répéter pour demain une nouvelle farce.

> *Jodelet et Bellerose sortent, après de grands saluts à Cyrano.*

LE PORTIER, *à Cyrano.*

Vous ne dînez donc pas ?

CYRANO

Moi ?... Non.

> *Le portier se retire.*

LE BRET, *à Cyrano.*

Parce que ?

CYRANO, *fièrement.*

Parce...

> *Changeant de ton en voyant que le portier est loin.*

Que je n'ai pas d'argent !

---

1. *Sic transit gloria mundi* : « Ainsi passe la gloire du monde ». Tirée de *L'Imitation de Jésus-Christ*, cette phrase exprime le caractère transitoire des choses de ce monde.

LE BRET, *faisant le geste de lancer un sac.*

> Comment ! le sac d'écus ?...

CYRANO

Pension paternelle, en un jour, tu vécus !

LE BRET

Pour vivre tout un mois, alors ?...

CYRANO

> Rien ne me reste.

LE BRET

Jeter ce sac, quelle sottise !

CYRANO

> Mais quel geste !...

LA DISTRIBUTRICE, *toussant derrière son petit comptoir.*

Hum !...

> *Cyrano et Le Bret se retournent. Elle s'avance intimidée.*

Monsieur... vous savoir jeûner... le cœur me fend...

> *Montrant le buffet.*

J'ai là tout ce qu'il faut...

> *Avec élan.*

> Prenez !

CYRANO, *se découvrant.*

> Ma chère enfant,
Encore que mon orgueil de Gascon m'interdise
D'accepter de vos doigts la moindre friandise,
J'ai trop peur qu'un refus ne vous soit un chagrin,
Et j'accepterai donc...

> *Il va au buffet et choisit.*

> Oh ! peu de chose ! – un grain
De ce raisin...

Elle veut lui donner la grappe, il cueille un grain.

Un seul !... ce verre d'eau...

Elle veut y verser du vin, il l'arrête.

limpide !
– Et la moitié d'un macaron !

Il rend l'autre moitié.

LE BRET

Mais c'est stupide !

LA DISTRIBUTRICE

Oh ! quelque chose encor !

CYRANO

Oui. La main à baiser.

Il baise, comme la main d'une princesse, la main qu'elle lui tend.

LA DISTRIBUTRICE

Merci, Monsieur.

Révérence.

Bonsoir.

Elle sort.

SCÈNE V

CYRANO, LE BRET, puis le Portier.

CYRANO, *à Le Bret.*

Je t'écoute causer.

Il s'installe devant le buffet et rangeant devant lui le macaron.

Dîner !...

... le verre d'eau.

Boisson !...

... le grain de raisin.

Dessert !...

Il s'assied.

Là, je me mets à table !
– Ah !... j'avais une faim, mon cher, épouvantable !

Mangeant.

– Tu disais ?

LE BRET

Que ces fats [1] aux grands airs belliqueux
Te fausseront l'esprit si tu n'écoutes qu'eux !...
Va consulter des gens de bon sens, et t'informe
De l'effet qu'a produit ton algarade.

CYRANO, *achevant son macaron.*

Énorme.

LE BRET

Le Cardinal...

CYRANO, *s'épanouissant.*

Il était là, le Cardinal ?

LE BRET

A dû trouver cela...

CYRANO

Mais très original.

LE BRET

Pourtant...

CYRANO

C'est un auteur. Il ne peut lui déplaire
Que l'on vienne troubler la pièce d'un confrère.

1. Prétentieux et sots.

70

LE BRET

Tu te mets sur les bras, vraiment, trop d'ennemis !

CYRANO, *attaquant son grain de raisin.*

Combien puis-je, à peu près, ce soir, m'en être mis ?

LE BRET

Quarante-huit. Sans compter les femmes.

CYRANO

Voyons, compte !

LE BRET

Montfleury, le bourgeois, de Guiche, le vicomte,
Baro, l'Académie...

CYRANO

Assez ! tu me ravis !

LE BRET

Mais où te mènera la façon dont tu vis ?
Quel système est le tien ?

CYRANO

J'errais dans un méandre ;
J'avais trop de partis, trop compliqués, à prendre ;
J'ai pris...

LE BRET

Lequel ?

CYRANO

Mais le plus simple, de beaucoup.
J'ai décidé d'être admirable, en tout, pour tout !

LE BRET, *haussant les épaules.*

Soit ! – Mais enfin, à moi, le motif de ta haine
Pour Montfleury, le vrai, dis-le-moi !

CYRANO, *se levant.*

Ce Silène [1],
Si ventru que son doigt n'atteint pas son nombril,
Pour les femmes encor se croit un doux péril,
Et leur fait, cependant qu'en jouant il bredouille,
Des yeux de carpe avec ses gros yeux de grenouille !...
Et je le hais depuis qu'il se permit, un soir,
De poser son regard sur celle... Oh ! j'ai cru voir
Glisser sur une fleur une longue limace !

LE BRET, *stupéfait.*

Hein ? Comment ? Serait-il possible ?...

CYRANO, *avec un rire amer.*

Que j'aimasse ?

Changeant de ton et gravement.

J'aime.

LE BRET

Et peut-on savoir ? tu ne m'as jamais dit ?...

CYRANO

Qui j'aime ?... Réfléchis, voyons. Il m'interdit
Le rêve d'être aimé même par une laide,
Ce nez qui d'un quart d'heure en tous lieux me précède ;
Alors, moi, j'aime qui ?... Mais cela va de soi !
J'aime – mais c'est forcé ! – la plus belle qui soit !

LE BRET

La plus belle ?...

CYRANO

Tout simplement, qui soit au monde !
La plus brillante, la plus fine,

Avec accablement.

La plus blonde !

1. Père nourricier du dieu Bacchus ; Silène était représenté dans l'Antiquité comme un vieillard laid, gras et ivrogne.

LE BRET

Eh ! mon Dieu, quelle est donc cette femme ?...

CYRANO

Un danger

Mortel sans le vouloir, exquis sans y songer,
Un piège de nature, une rose muscade
Dans laquelle l'amour se tient en embuscade !
Qui connaît son sourire a connu le parfait.
Elle fait de la grâce avec rien, elle fait
Tenir tout le divin dans un geste quelconque,
Et tu ne saurais pas, Vénus, monter en conque,
Ni toi, Diane, marcher dans les grands bois fleuris,
Comme elle monte en chaise et marche dans Paris !...

LE BRET

Sapristi ! je comprends. C'est clair !

CYRANO

C'est diaphane.

LE BRET

Magdeleine Robin, ta cousine ?

CYRANO

Oui, – Roxane.

LE BRET

Eh bien ! mais c'est au mieux ! Tu l'aimes ? Dis-le-lui !
Tu t'es couvert de gloire à ses yeux aujourd'hui !

CYRANO

Regarde-moi, mon cher, et dis quelle espérance
Pourrait bien me laisser cette protubérance !
Oh ! je ne me fais pas d'illusion ! – Parbleu,
Oui, quelquefois, je m'attendris, dans le soir bleu ;
J'entre en quelque jardin où l'heure se parfume ;
Avec mon pauvre grand diable de nez je hume
L'avril, – je suis des yeux, sous un rayon d'argent,
Au bras d'un cavalier, quelque femme, en songeant

Que pour marcher, à petits pas dans de la lune,
Aussi moi j'aimerais au bras en avoir une,
Je m'exalte, j'oublie... et j'aperçois soudain
L'ombre de mon profil sur le mur du jardin !

LE BRET, ému.

Mon ami !...

CYRANO

Mon ami, j'ai de mauvaises heures !
De me sentir si laid, parfois, tout seul...

LE BRET, vivement, lui prenant la main.

Tu pleures ?

CYRANO

Ah ! non, cela, jamais ! Non, ce serait trop laid,
Si le long de ce nez une larme coulait !
Je ne laisserai pas, tant que j'en serai maître,
La divine beauté des larmes se commettre
Avec tant de laideur grossière !... Vois-tu bien,
Les larmes, il n'est rien de plus sublime, rien,
Et je ne voudrais pas qu'excitant la risée,
Une seule, par moi, fût ridiculisée !...

LE BRET

Va, ne t'attriste pas ! L'amour n'est que hasard !

CYRANO, secouant la tête.

Non ! J'aime Cléopâtre : ai-je l'air d'un César ?
J'adore Bérénice [1] : ai-je l'aspect d'un Tite ?

LE BRET

Mais ton courage ! ton esprit ! – Cette petite
Qui t'offrait là, tantôt, ce modeste repas,
Ses yeux, tu l'as bien vu, ne te détestaient pas !

1. Fille d'Hérode Agrippa Ier, roi de Judée, elle fut aimée par l'empereur romain Titus qui n'osa l'épouser en raison de l'hostilité des Romains. Cet épisode se déroula au Ier siècle de notre ère. Racine en a tiré une tragédie, *Bérénice* (1670). Corneille écrivit également *Tite et Bérénice*.

CYRANO, *saisi.*

C'est vrai !

LE BRET

Hé, bien ! alors ?... Mais, Roxane, elle-même,
Toute blême a suivi ton duel !...

CYRANO

Toute blême ?

LE BRET

Son cœur et son esprit déjà sont étonnés !
Ose, et lui parle, afin...

CYRANO

Qu'elle me rie au nez ?
Non ! – C'est la seule chose au monde que je craigne !

LE PORTIER, *introduisant quelqu'un à Cyrano.*

Monsieur, on vous demande...

CYRANO, *voyant la duègne.*

Ah ! mon Dieu ! Sa duègne !

SCÈNE VI

CYRANO, LE BRET, la Duègne.

LA DUÈGNE, *avec un grand salut.*

De son vaillant cousin on désire savoir
Où l'on peut, en secret, le voir.

CYRANO, *bouleversé.*

Me voir ?

LA DUÈGNE, *avec une révérence.*

Vous voir.
– On a des choses à vous dire.

CYRANO

Des ?

LA DUÈGNE, *nouvelle révérence.*

Des choses !

CYRANO, *chancelant.*

Ah ! mon Dieu !

LA DUÈGNE

L'on ira, demain, aux primes roses
D'aurore, – ouïr la messe à Saint-Roch.

CYRANO, *se soutenant sur Le Bret.*

Ah ! mon Dieu !

LA DUÈGNE

En sortant, – où peut-on entrer, causer un peu ?

CYRANO, *affolé.*

Où ?... je... mais... Ah ! mon Dieu !...

LA DUÈGNE

Dites vite.

CYRANO

Je cherche !

LA DUÈGNE

Où ?

CYRANO

Chez... chez... Ragueneau... le pâtissier...

LA DUÈGNE

Il perche ?

CYRANO

Dans la rue – ah ! mon Dieu, mon Dieu ! – Saint-
[Honoré !...

LA DUÈGNE, *remontant.*

On ira. Soyez-y. Sept heures.

CYRANO

J'y serai.

La duègne sort.

SCÈNE VII

CYRANO, LE BRET, puis les Comédiens, les Comédiennes,
CUIGY, BRISSAILLE, LIGNIÈRE, le Portier, les Violons.

CYRANO, *tombant dans les bras de Le Bret.*

Moi !... D'elle !... Un rendez-vous !...

LE BRET

Eh bien ! tu n'es plus
[triste ?

CYRANO

Ah ! pour quoi que ce soit, elle sait que j'existe !

LE BRET

Maintenant, tu vas être calme ?

CYRANO, *hors de lui.*

Maintenant...
Mais je vais être frénétique et fulminant !
Il me faut une armée entière à déconfire !
J'ai dix cœurs ; j'ai vingt bras ; il ne peut me suffire
De pourfendre des nains...

Il crie à tue-tête.

Il me faut des géants !

*Depuis un moment, sur la scène, au fond,
des ombres de comédiens et de comédiennes
s'agitent, chuchotent : on commence à répéter. Les violons ont repris leur place.*

UNE VOIX, *de la scène.*

Hé ! pst ! là-bas ! Silence ! on répète céans !

CYRANO, *riant.*

Nous partons !

*Il remonte ; par la grande porte du fond
entrent Cuigy, Brissaille, plusieurs officiers
qui soutiennent Lignière complètement ivre.*

CUIGY

Cyrano !

CYRANO

Qu'est-ce ?

CUIGY

Une énorme grive

Qu'on t'apporte !

CYRANO, *le reconnaissant.*

Lignière !... Hé, qu'est-ce qui t'arrive ?

CUIGY

Il te cherche !

BRISSAILLE

Il ne peut rentrer chez lui !

CYRANO

Pourquoi ?

LIGNIÈRE, *d'une voix pâteuse, lui montrant
un billet tout chiffonné.*

Ce billet m'avertit... cent hommes contre moi...
A cause de... chanson... grand danger me menace...
Porte de Nesle... Il faut, pour rentrer, que j'y passe...
Permets-moi donc d'aller coucher sous... sous ton toit !

CYRANO

Cent hommes, m'as-tu dit ? Tu coucheras chez toi !

LIGNIÈRE, *épouvanté.*

Mais...

CYRANO, *d'une voix terrible, lui montrant la lanterne allumée*
que le portier balance en écoutant
curieusement cette scène.

Prends cette lanterne !...

Lignière saisit précipitamment la lanterne.

Et marche ! – Je te jure
Que c'est moi qui ferai ce soir ta couverture !...

Aux officiers.

Vous, suivez à distance, et vous serez témoins !

CUIGY

Mais cent hommes !...

CYRANO

Ce soir, il ne m'en faut pas moins.

Les comédiens et les comédiennes, descen-
dus de scène, se sont rapprochés dans leurs
divers costumes.

LE BRET

Mais pourquoi protéger...

CYRANO

Voilà Le Bret qui grogne !

LE BRET

Cet ivrogne banal ?...

CYRANO, *frappant sur l'épaule de Lignière.*

Parce que cet ivrogne,
Ce tonneau de muscat, ce fût de rossoli [1],
Fit quelque chose un jour de tout à fait joli :
Au sortir d'une messe ayant, selon le rite,

1. Ou rossolis : liqueur d'Italie préparée avec des pétales de rose, des
fleurs d'oranger et diverses épices.

80

Vu celle qu'il aimait prendre de l'eau bénite,
Lui que l'eau fait sauver courut au bénitier,
Se pencha sur sa conque et le but tout entier !...

UNE COMÉDIENNE, *en costume de soubrette.*

Tiens ! c'est gentil, cela !

CYRANO

N'est-ce pas, la soubrette ?

LA COMÉDIENNE, *aux autres.*

Mais pourquoi sont-ils cent contre un pauvre poète ?

CYRANO

Marchons !

Aux officiers.

Et vous, messieurs, en me voyant charger,
Ne me secondez pas, quel que soit le danger !

UNE AUTRE COMÉDIENNE, *sautant de la scène.*

Oh ! mais, moi, je vais voir !

CYRANO

Venez !

UNE AUTRE, *sautant aussi, à un vieux comédien.*

Viens-tu, Cassandre ?...

CYRANO

Venez tous, le Docteur, Isabelle, Léandre,
Tous ! Car vous allez joindre, essaim charmant et fol,
La farce italienne à ce drame espagnol.
Et, sur son ronflement tintant un bruit fantasque,
L'entourer de grelots comme un tambour de basque !...

TOUTES LES FEMMES, *sautant de joie.*

Bravo ! – Vite, une mante ! – Un capuchon !

JODELET

Allons !

CYRANO, *aux violons.*

Vous nous jouerez un air, messieurs les violons !

> *Les violons se joignent au cortège qui se*
> *forme. On s'empare des chandelles allumées*
> *de la rampe et on se les distribue. Cela*
> *devient une retraite aux flambeaux.*

Bravo ! des officiers, des femmes en costume,
Et, vingt pas en avant...

> *Il se place comme il dit.*

Moi, tout seul, sous la plume
Que la gloire elle-même à ce feutre piqua,
Fier comme un Scipion triplement Nasica [1] !...
– C'est compris ? Défendu de me prêter main-forte ! –
On y est ?... Un, deux, trois ! Portier, ouvre la porte !

> *Le portier ouvre à deux battants. Un coin*
> *du vieux Paris pittoresque et lunaire paraît.*

Ah !... Paris fuit, nocturne et quasi nébuleux ;
Le clair de lune coule aux pentes des toits bleus ;
Un cadre se prépare, exquis, pour cette scène ;
Là-bas, sous des vapeurs en écharpe, la Seine,
Comme un mystérieux et magique miroir,
Tremble... Et vous allez voir ce que vous allez voir !

TOUS

A la porte de Nesle !

CYRANO, *debout sur le seuil.*

A la porte de Nesle !

> *Se retournant avant de sortir, à la sou-*
> *brette.*

1. Scipion Nasica : nom de plusieurs hommes politiques et militaires
romains. Le mot latin *nasica* signifie : qui a le nez mince et pointu.

Ne demandiez-vous pas pourquoi, mademoiselle,
Contre ce seul rimeur cent hommes furent mis ?

Il tire l'épée et, tranquillement.

C'est parce qu'on savait qu'il est de mes amis !

*Il sort. Le cortège – Lignière zigzaguant
en tête, – puis les comédiennes aux bras des
officiers, – puis les comédiens gambadant, –
se met en marche dans la nuit au son des violons, et à la lueur falote des chandelles.*

RIDEAU

De combien ?

RAGUENEAU

De trois pieds.

LE CUISINIER

Hein !

PREMIER PÂTISSIER

La tarte !

DEUXIÈME PÂTISSIER

La tourte !

RAGUENEAU, *devant la cheminée.*

Ma Muse, éloigne-toi, pour que tes yeux charmants
N'aillent pas se rougir au feu de ces sarments !

> *A un pâtissier, lui montrant des pains.*

Vous avez mal placé la fente de ces miches :
Au milieu la césure, – entre les hémistiches !

> *A un autre, lui montrant un pâté ina-*
> *chevé.*

A ce palais de croûte, il faut, vous, mettre un toit...

> *A un jeune apprenti, qui, assis par terre,*
> *embroche des volailles.*

Et toi, sur cette broche interminable, toi,
Le modeste poulet et la dinde superbe,
Alterne-les, mon fils, comme le vieux Malherbe
Alternait les grands vers avec les plus petits,
Et fais tourner au feu des strophes de rôtis !

> UN AUTRE APPRENTI, *s'avançant avec un plateau*
> *recouvert d'une assiette.*

Maître, en pensant à vous, dans le four j'ai fait cuire
Ceci, qui vous plaira, je l'espère.

> *Il découvre le plateau, on voit une grande*
> *lyre de pâtisserie.*

RAGUENEAU, *ébloui.*

Une lyre !

En pâte de brioche.

RAGUENEAU, *ému.*

Avec des fruits confits !

L'APPRENTI

Et les cordes, voyez, en sucre je les fis.

RAGUENEAU, *en lui donnant de l'argent.*

Va boire à ma santé !

Apercevant Lise qui entre.

Chut ! ma femme ! Circule,
Et cache cet argent !

A Lise, lui montrant la lyre d'un air gêné.

C'est beau ?

LISE

C'est ridicule !

Elle pose sur le comptoir une pile de sacs en papier.

RAGUENEAU

Des sacs ?... Bon. Merci.

Il les regarde.

Ciel ! Mes livres vénérés !
Les vers de mes amis ! déchirés ! démembrés !
Pour en faire des sacs à mettre des croquantes...
Ah ! vous renouvelez Orphée [1] et les bacchantes !

LISE, *sèchement.*

Et n'ai-je pas le droit d'utiliser vraiment
Ce que laissent ici, pour unique paiement,
Vos méchants écriveurs de lignes inégales !

1. Musicien légendaire de la Grèce antique. Il fut mis en pièces, par les Bacchantes, ou Ménades, prêtresses du dieu Bacchus.

RAGUENEAU

Fourmi !... n'insulte pas ces divines cigales !

LISE

Avant de fréquenter ces gens-là, mon ami,
Vous ne m'appeliez pas bacchante, – ni fourmi !

RAGUENEAU

Avec des vers, faire cela !

LISE

Pas autre chose.

RAGUENEAU

Que faites-vous alors, madame, avec la prose ?

SCÈNE II

Les Mêmes, deux Enfants, qui viennent d'entrer
dans la pâtisserie.

RAGUENEAU

Vous désirez, petits ?

PREMIER ENFANT

Trois pâtés.

RAGUENEAU, *les servant.*

Là, bien roux...

Et bien chauds.

DEUXIÈME ENFANT

S'il vous plaît, enveloppez-les-nous ?

RAGUENEAU, *saisi, à part.*

Hélas ! un de mes sacs !

Aux enfants.

Que je les enveloppe ?...

Il prend un sac et, au moment d'y mettre les pâtés, il lit.

« *Tel Ulysse, le jour qu'il quitta Pénélope...* »
Pas celui-ci !...

Il le met de côté et en prend un autre. Au moment d'y mettre les pâtés, il lit.

« *Le blond Phoebus...* » Pas celui-là !

Même jeu.

LISE, *impatientée.*

Eh bien, qu'attendez-vous ?

RAGUENEAU

Voilà, voilà, voilà !

Il en prend un troisième et se résigne.

Le sonnet à Philis !... mais c'est dur tout de même !

LISE

C'est heureux qu'il se soit décidé !

Haussant les épaules.

Nicodème !

Elle monte sur une chaise et se met à ranger des plats sur une crédence.

RAGUENEAU, *profitant de ce qu'elle tourne le dos, rappelle les enfants déjà à la porte.*

Pst !... Petits ! Rendez-moi le sonnet à Philis,
Au lieu de trois pâtés, je vous en donne six.

Les enfants lui rendent le sac, prennent vivement les gâteaux et sortent. Ragueneau, défripant le papier, se met à lire en déclamant.

« *Philis !...* » Sur ce doux nom, une tache de beurre !...
« *Philis !...* »

> *Cyrano entre brusquement.*

SCÈNE III

RAGUENEAU, LISE, CYRANO, puis le Mousquetaire.

CYRANO

Quelle heure est-il ?

RAGUENEAU, *le saluant avec empressement.*

Six heures.

CYRANO, *avec émotion.*

Dans une heure !

Il va et vient dans la boutique...

RAGUENEAU, *le suivant.*

Bravo ! J'ai vu...

CYRANO

Quoi donc !

RAGUENEAU

Votre combat !...

CYRANO

Lequel ?

RAGUENEAU

Celui de l'hôtel de Bourgogne !

CYRANO, *avec dédain.*

Ah !... Le duel !...

Oui, le duel en vers !...

LISE

Il en a plein la bouche !

CYRANO

Allons ! tant mieux !

RAGUENEAU, *se fendant avec une broche qu'il a saisie.*

« A la fin de l'envoi, je touche !...
A la fin de l'envoi, je touche !... » Que c'est beau !

Avec un enthousiasme croissant.

« A la fin de l'envoi... »

CYRANO

Quelle heure, Ragueneau ?

RAGUENEAU, *restant fendu pour regarder l'horloge.*

Six heures cinq !... « ... je touche ! »

Il se relève.

... Oh ! faire une ballade !

LISE, *à Cyrano, qui en passant devant son comptoir
lui a serré distraitement la main.*

Qu'avez-vous à la main ?

CYRANO

Rien. Une estafilade.

RAGUENEAU

Courûtes-vous quelque péril ?

CYRANO

Aucun péril.

LISE, *le menaçant du doigt.*

Je crois que vous mentez ?

CYRANO

Mon nez remuerait-il ?
Il faudrait que ce fût pour un mensonge énorme !

Changeant de ton.

J'attends ici quelqu'un. Si ce n'est pas sous l'orme,
Vous nous laisserez seuls.

RAGUENEAU

C'est que je ne peux pas ;
Mes rimeurs vont venir...

LISE, *ironique.*

Pour leur premier repas !

CYRANO

Tu les éloigneras quand je te ferai signe...
L'heure ?

RAGUENEAU

Six heures dix.

CYRANO, *s'asseyant nerveusement à la table
de Ragueneau et prenant du papier.*

Une plume ?...

RAGUENEAU, *lui offrant celle qu'il a à son oreille.*

De cygne.

UN MOUSQUETAIRE, *superbement moustachu, entre
et d'une voix de stentor.*

Salut !

Lise remonte vivement vers lui.

CYRANO, *se retournant.*

Qu'est-ce ?

RAGUENEAU

Un ami de ma femme. Un guerrier
Terrible, – à ce qu'il dit !...

CYRANO, *reprenant la plume et éloignant du geste*
Ragueneau.

Chut !...

Écrire, – plier, –

A lui-même.

Lui donner, – me sauver...

Jetant la plume.

Lâche !... Mais que je meure,
Si j'ose lui parler, lui dire un seul mot...

A Ragueneau.

L'heure ?

RAGUENEAU

Six et quart !...

CYRANO, *frappant sa poitrine.*

... un seul mot de tous ceux que j'ai là !
Tandis qu'en écrivant...

Il reprend la plume.

Eh bien ! écrivons-la,
Cette lettre d'amour qu'en moi-même j'ai faite
Et refaite cent fois, de sorte qu'elle est prête,
Et que mettant mon âme à côté du papier,
Je n'ai tout simplement qu'à la recopier.

*Il écrit. – Derrière le vitrage de la porte on
voit s'agiter des silhouettes maigres et hési-
tantes.*

SCÈNE IV

RAGUENEAU, LISE, le Mousquetaire, CYRANO, à la petite table, écrivant, les Poètes, vêtus de noir, les bas tombants, couverts de boue.

LISE, *entrant, à Ragueneau.*

Les voici, vos crottés !

PREMIER POÈTE, *entrant, à Ragueneau.*

Confrère !...

DEUXIÈME POÈTE, *de même, lui secouant les mains.*

Cher confrère !

TROISIÈME POÈTE

Aigle des pâtissiers !

Il renifle.

Ça sent bon dans votre aire.

QUATRIÈME POÈTE

O Phoebus-Rôtisseur !

CINQUIÈME POÈTE

Apollon maître queux !

RAGUENEAU, *entouré, embrassé, secoué.*

Comme on est tout de suite à son aise avec eux !...

PREMIER POÈTE

Nous fûmes retardés par la foule attroupée
A la porte de Nesle !...

DEUXIÈME POÈTE

Ouverts à coups d'épée,
Huit malandrins sanglants illustraient les pavés !

CYRANO, *levant une seconde la tête.*

Huit ?... Tiens, je croyais sept.

Il reprend sa lettre.

RAGUENEAU, *à Cyrano.*

Est-ce que vous savez
Le héros du combat ?

CYRANO, *négligemment.*

Moi ?... Non !

LISE, *au mousquetaire.*

Et vous ?

LE MOUSQUETAIRE, *se frisant la moustache.*

Peut-être !

CYRANO, *écrivant à part, – on l'entend murmurer
de temps en temps.*

Je vous aime...

PREMIER POÈTE

Un seul homme, assure-t-on, sut mettre
Toute une bande en fuite !...

DEUXIÈME POÈTE

Oh ! c'était curieux !
Des piques, des bâtons jonchaient le sol !...

CYRANO, *écrivant.*

... Vos yeux...

TROISIÈME POÈTE

On trouvait des chapeaux jusqu'au quai des Orfèvres !

PREMIER POÈTE

Sapristi ! ce dut être un féroce...

CYRANO, *même jeu.*

vos lèvres...

Un terrible géant, l'auteur de ces exploits !

CYRANO, *même jeu.*

... Et je m'évanouis de peur quand je vous vois.

DEUXIÈME POÈTE, *happant un gâteau.*

Qu'as-tu rimé de neuf, Ragueneau ?

CYRANO, *même jeu.*

... qui vous aime...

*Il s'arrête au moment de signer, et se lève,
mettant sa lettre dans son pourpoint.*

Pas besoin de signer. Je la donne moi-même.

RAGUENEAU, *au deuxième poète.*

J'ai mis une recette en vers.

TROISIÈME POÈTE, *s'installant près d'un plateau
de choux à la crème.*

Oyons ces vers !

QUATRIÈME POÈTE, *regardant une brioche qu'il a prise.*

Cette brioche a mis son bonnet de travers.

Il la décoiffe d'un coup de dents.

PREMIER POÈTE

Ce pain d'épice suit le rimeur famélique,
De ses yeux en amande aux sourcils d'angélique !

Il happe le morceau de pain d'épice.

DEUXIÈME POÈTE

Nous écoutons.

TROISIÈME POÈTE, *serrant légèrement un chou
entre ses doigts.*

Le chou bave sa crème. Il rit.

DEUXIÈME POÈTE, *mordant à même la grande lyre*
de pâtisserie.

Pour la première fois la Lyre me nourrit !

RAGUENEAU, *qui s'est préparé à réciter, qui a toussé,*
assuré son bonnet, pris une pose.

Une recette en vers...

DEUXIÈME POÈTE, *au premier, lui donnant*
un coup de coude.

Tu déjeunes ?

PREMIER POÈTE, *au deuxième.*

Tu dînes !

RAGUENEAU

Comment on fait les tartelettes amandines.

Battez, pour qu'ils soient mousseux,
    Quelques œufs ;
Incorporez à leur mousse
Un jus de cédrat choisi ;
    Versez-y
Un bon lait d'amande douce ;
Mettez de la pâte à flan
    Dans le flanc
De moules à tartelette ;
D'un doigt preste, abricotez
    Les côtés ;
Versez goutte à gouttelette
Votre mousse en ces puits, puis
    Que ces puits
Passent au four, et, blondines,
Sortant en gais troupelets,
    Ce sont les
Tartelettes amandines !

LES POÈTES, *la bouche pleine.*

Exquis ! Délicieux !

UN POÈTE, *s'étouffant.*

Houmph !

*Ils remontent vers le fond, en mangeant.
Cyrano qui a observé s'avance vers Ragueneau.*

CYRANO

Bercés par ta voix,
Ne vois-tu pas comme ils s'empiffrent ?

RAGUENEAU, *plus bas, avec un sourire.*

Je le vois...
Sans regarder, de peur que cela ne les trouble ;
Et dire ainsi mes vers me donne un plaisir double,
Puisque je satisfais un doux faible que j'ai
Tout en laissant manger ceux qui n'ont pas mangé !

CYRANO, *lui frappant sur l'épaule.*

Toi, tu me plais !...

*Ragueneau va rejoindre ses amis. Cyrano
le suit des yeux, puis un peu brusquement.*

Hé là, Lise ?

Lise, en conversation tendre avec le mousquetaire, tressaille et descend vers Cyrano.

Ce capitaine...
Vous assiège ?

LISE, *offensée.*

Oh ! mes yeux, d'une œillade hautaine
Savent vaincre quiconque attaque mes vertus.

CYRANO

Euh ! pour des yeux vainqueurs, je les trouve battus.

LISE, *suffoquée.*

Mais...

CYRANO, *nettement.*

Ragueneau me plaît. C'est pourquoi, dame Lise,
Je défends que quelqu'un le ridicoculise.

LISE

Mais...

CYRANO, *qui a élevé la voix assez*
pour être entendu du galant.

A bon entendeur...

Il salue le mousquetaire, et va se mettre
en observation, à la porte du fond, après
avoir regardé l'horloge.

LISE, *au mousquetaire qui a simplement*
rendu son salut à Cyrano.

Vraiment, vous m'étonnez !
Répondez... sur son nez...

LE MOUSQUETAIRE

Sur son nez... sur son nez...

Il s'éloigne vivement. Lise le suit.

CYRANO, *de la porte du fond, faisant signe*
à Ragueneau d'emmener les poètes.

Pst !...

RAGUENEAU, *montrant aux poètes la porte de droite.*

Nous serons bien mieux par là...

CYRANO, *s'impatientant.*

Pst ! pst !

RAGUENEAU, *les entraînant.*

Pour lire
Des vers...

PREMIER POÈTE, *désespéré, la bouche pleine.*

Mais les gâteaux !...

Emportons-les !

> *Ils sortent tous derrière Ragueneau, pro-*
> *cessionnellement, et après avoir fait une*
> *rafle de plateaux.*

SCÈNE V

CYRANO, ROXANE, la Duègne.

CYRANO

Je tire

Ma lettre si je sens seulement qu'il y a
Le moindre espoir !...

> *Roxane, masquée, suivie de la duègne,*
> *paraît derrière le vitrage. Il ouvre vivement*
> *la porte.*

Entrez !...

> *Marchant sur la duègne.*

Vous, deux mots, duègna !

LA DUÈGNE

Quatre.

CYRANO

Êtes-vous gourmande ?

LA DUÈGNE

A m'en rendre malade.

CYRANO, *prenant vivement des sacs de papier*
sur le comptoir.

Bon. Voici deux sonnets de monsieur Benserade [1]...

1. Poète précieux (1613-1691), rival de Voiture.

LA DUÈGNE, *piteuse*.

Heu !...

CYRANO

... que je vous remplis de darioles [1].

LA DUÈGNE, *changeant de figure*.

Hou !

CYRANO

Aimez-vous le gâteau qu'on nomme petit chou ?

LA DUÈGNE, *avec dignité*.

Monsieur, j'en fais état, lorsqu'il est à la crème.

CYRANO

J'en plonge six pour vous dans le sein d'un poème
De Saint-Amant [2] ! Et dans ces vers de Chapelain [3]
Je dépose un fragment, moins lourd, de poupelin [4].
– Ah ! vous aimez les gâteaux frais ?

LA DUÈGNE

J'en suis férue !

CYRANO, *lui chargeant les bras de sacs remplis*.

Veuillez aller manger tous ceux-ci dans la rue.

LA DUÈGNE

Mais...

CYRANO, *la poussant dehors*.

Et ne revenez qu'après avoir fini !

---

1. Sorte de flan.
2. Saint-Amant (1594-1661) : poète bon vivant qui célébra notamment les plaisirs de la table. C'est l'un des poètes les plus originaux et les plus novateurs du xviie siècle.
3. Poète français (1595-1674) auteur d'un poème épique sur Jeanne d'Arc ; il contribua à établir les règles du classicisme.
4. Gâteau trempé dans du beurre fondu à sa sortie du four.

Il referme la porte, redescend vers Roxane, et s'arrête, découvert, à une distance respectueuse.

SCÈNE VI

CYRANO, ROXANE, la Duègne, un instant.

CYRANO

Que l'instant entre tous les instants soit béni
Où, cessant d'oublier qu'humblement je respire
Vous venez jusqu'ici pour me dire... me dire ?

ROXANE, *qui s'est démasquée.*

Mais tout d'abord merci, car ce drôle, ce fat
Qu'au brave jeu d'épée, hier, vous avez fait mat,
C'est lui qu'un grand seigneur... épris de moi...

CYRANO

De Guiche ?

ROXANE, *baissant les yeux.*

Cherchait à m'imposer... comme mari...

CYRANO

Postiche ?

Saluant.

Je me suis donc battu, madame, et c'est tant mieux,
Non pour mon vilain nez, mais bien pour vos beaux yeux.

ROXANE

Puis... je voulais... Mais pour l'aveu que je viens faire,
Il faut que je revoie en vous le... presque frère,
Avec qui je jouais, dans le parc – près du lac !...

CYRANO

Oui... vous veniez tous les étés à Bergerac !...

ROXANE

Les roseaux fournissaient le bois pour vos épées...

CYRANO

Et les maïs, les cheveux blonds pour vos poupées !

ROXANE

C'était le temps des jeux...

CYRANO

Des mûrons [1] aigrelets...

ROXANE

Le temps où vous faisiez tout ce que je voulais !...

CYRANO

Roxane, en jupons courts, s'appelait Madeleine...

ROXANE

J'étais jolie, alors ?

CYRANO

Vous n'étiez pas vilaine.

ROXANE

Parfois, la main en sang de quelque grimpement,
Vous accouriez ! – Alors, jouant à la maman,
Je disais d'une voix qui tâchait d'être dure :

Elle lui prend la main.

« Qu'est-ce que c'est encor que cette égratignure ? »

Elle s'arrête, stupéfaite.

Oh ! C'est trop fort ! Et celle-ci !

Cyrano veut retirer sa main.

Non ! Montrez-la !
Hein ? à votre âge, encor ! – Où t'es-tu fait cela ?

CYRANO

En jouant, du côté de la porte de Nesle.

1. Autre nom de la mûre.

ROXANE, *s'asseyant à une table, et trempant*
son mouchoir dans un verre d'eau.

Donnez !

CYRANO, *s'asseyant aussi.*

Si gentiment ! Si gaiement maternelle !

ROXANE

Et, dites-moi, – pendant que j'ôte un peu le sang –
Ils étaient contre vous ?

CYRANO

Oh ! pas tout à fait cent.

ROXANE

Racontez !

CYRANO

Non. Laissez. Mais vous, dites la chose
Que vous n'osiez tantôt me dire...

ROXANE, *sans quitter sa main.*

A présent, j'ose,
Car le passé m'encouragea de son parfum !
Oui, j'ose maintenant. Voilà. J'aime quelqu'un.

CYRANO

Ah !...

ROXANE

Qui ne le sait pas d'ailleurs,

CYRANO

Ah !...

ROXANE

Pas encore.

CYRANO

Ah !...

108

ROXANE

Mais qui va bientôt le savoir, s'il l'ignore.

CYRANO

Ah !... .

ROXANE

Un pauvre garçon qui jusqu'ici m'aima
Timidement, de loin, sans oser le dire...

CYRANO

Ah !...

ROXANE

Laissez-moi votre main, voyons, elle a la fièvre. –
Mais moi, j'ai vu trembler les aveux sur sa lèvre.

CYRANO

Ah !...

ROXANE, *achevant de lui faire un petit bandage
avec son mouchoir.*

Et figurez-vous, tenez, que, justement
Oui, mon cousin, il sert dans votre régiment !

CYRANO

Ah !...

ROXANE, *riant.*

Puisqu'il est cadet dans votre compagnie !

CYRANO

Ah !...

ROXANE

Il a sur son front de l'esprit, du génie,
Il est fier, noble, jeune, intrépide, beau...

CYRANO, *se levant tout pâle.*

Beau !

Quoi ? Qu'avez-vous ?

CYRANO

Moi, rien... C'est... c'est...

Il montre sa main, avec un sourire.

C'est ce bobo.

ROXANE

Enfin, je l'aime. Il faut d'ailleurs que je vous die
Que je ne l'ai jamais vu qu'à la Comédie...

CYRANO

Vous ne vous êtes donc pas parlé ?

ROXANE

Nos yeux seuls.

CYRANO

Mais comment savez-vous, alors ?

ROXANE

Sous les tilleuls
De la place Royale, on cause... Des bavardes
M'ont renseignée...

CYRANO

Il est cadet ?

ROXANE

Cadet aux gardes.

CYRANO

Son nom ?

ROXANE

Baron Christian de Neuvillette.

CYRANO

                    Hein ?...
Il n'est pas aux cadets.

ROXANE

              Si, depuis ce matin :
Capitaine Carbon de Castel-Jaloux.

CYRANO

                          Vite,
Vite, on lance son cœur !... Mais, ma pauvre petite...

LA DUÈGNE, *ouvrant la porte du fond.*

J'ai fini les gâteaux, monsieur de Bergerac !

CYRANO

Eh bien ! lisez les vers imprimés sur le sac !

                              La duègne disparaît.

... Ma pauvre enfant, vous qui n'aimez que beau langage,
Bel esprit, – si c'était un profane, un sauvage.

ROXANE

Non, il a les cheveux d'un héros de d'Urfé [1] !

CYRANO

S'il était aussi maldisant que bien coiffé !

ROXANE

Non, tous les mots qu'il dit sont fins, je le devine !

CYRANO

Oui, tous les mots sont fins quand la moustache est fine.
– Mais si c'était un sot !...

---

1. Honoré d'Urfé (1567-1625) : romancier précieux, auteur de
L'Astrée, interminable roman de plus de cinq mille pages qui obtint un
grand succès en son temps.

ROXANE, *frappant du pied.*

Eh bien ! j'en mourrais, là !

CYRANO, *après un temps.*

Vous m'avez fait venir pour me dire cela ?
Je n'en sens pas très bien l'utilité, madame.

ROXANE

Ah, c'est que quelqu'un hier m'a mis la mort dans l'âme,
Et me disant que tous, vous êtes tous gascons
Dans votre compagnie...

CYRANO

Et que nous provoquons
Tous les blancs-becs qui, par faveur, se font admettre
Parmi les purs Gascons que nous sommes, sans l'être ?
C'est ce qu'on vous a dit ?

ROXANE

Et vous pensez si j'ai
Tremblé pour lui !

CYRANO, *entre ses dents.*

Non sans raison !

ROXANE

Mais j'ai songé
Lorsque invincible et grand, hier, vous nous apparûtes,
Châtiant ce coquin, tenant tête à ces brutes, –
J'ai songé : s'il voulait, lui, que tous ils craindront...

CYRANO

C'est bien, je défendrai votre petit baron.

ROXANE

Oh ! n'est-ce pas que vous allez me le défendre ?
J'ai toujours eu pour vous une amitié si tendre.

CYRANO

Oui, oui.

ROXANE

Vous serez mon ami ?

CYRANO

Je le serai.

ROXANE

Et jamais il n'aura de duel ?

CYRANO

C'est juré.

ROXANE

Oh ! je vous aime bien. Il faut que je m'en aille.

*Elle remet vivement son masque, une
dentelle sur son front, et distraitement.*

Mais vous ne m'avez pas raconté la bataille
De cette nuit. Vraiment ce dut être inouï !...
– Dites-lui qu'il m'écrive.

Elle lui envoie un petit baiser de la main.

Oh ! je vous aime !

CYRANO

Oui, oui.

ROXANE

Cent hommes contre vous ? Allons, adieu. – Nous sommes
De grands amis !

CYRANO

Oui, oui.

ROXANE

Qu'il m'écrive ! – Cent hommes ! –
Vous me direz plus tard. Maintenant, je ne puis.
Cent hommes ! Quel courage !

CYRANO, *la saluant.*

Oh ! j'ai fait mieux depuis.

Elle sort. Cyrano reste immobile, les yeux à terre. Un silence. La porte s'ouvre. Ragueneau passe sa tête.

CYRANO, RAGUENEAU, les Poètes, CARBON DE CASTEL-JALOUX,
les Cadets, la Foule, etc., puis DE GUICHE.

RAGUENEAU

Peut-on rentrer ?

CYRANO, *sans bouger.*

Oui...

*Ragueneau fait signe et ses amis rentrent.
En même temps, à la porte du fond paraît
Carbon de Castel-Jaloux, costume de capitaine aux gardes, qui fait de grands gestes
en apercevant Cyrano.*

CARBON DE CASTEL-JALOUX

Le voilà !

CYRANO, *levant la tête.*

Mon capitaine !...

CARBON, *exultant.*

Notre héros ! Nous savons tout ! Une trentaine
De mes cadets sont là !...

CYRANO, *reculant.*

Mais...

CARBON, *voulant l'entraîner.*

Viens ! on veut te voir !

CYRANO

Non !

CARBON

Ils boivent en face, à *la Croix du Trahoir.*

CYRANO

Je...

CARBON, *remontant à la porte, et criant à la cantonade, d'une voix de tonnerre.*

Le héros refuse. Il est d'humeur bourrue !

UNE VOIX, *au-dehors.*

Ah ! Sandious !

Tumulte au-dehors, bruit d'épées qui se rapprochent.

CARBON, *se frottant les mains.*

Les voici qui traversent la rue !...

LES CADETS, *entrant dans la rôtisserie.*

Mille dioux ! – Capdedious ! – Mordious ! Pocapdedious !

RAGUENEAU, *reculant épouvanté.*

Messieurs, vous êtes donc tous de Gascogne !

LES CADETS

Tous !

UN CADET, *à Cyrano.*

Bravo !

CYRANO

Baron !

UN AUTRE, *lui secouant les mains.*

Vivat !

CYRANO

Baron !

TROISIÈME CADET

Que je t'embrasse.

CYRANO

Baron !

Embrassons-le !

CYRANO, *ne sachant auquel répondre.*

Baron... baron... de grâce...

RAGUENEAU

Vous êtes tous barons, messieurs ?

LES CADETS

Tous !

RAGUENEAU

Le sont-ils ?...

PREMIER CADET

On ferait une tour rien qu'avec nos tortils [1] !

LE BRET, *entrant, et courant à Cyrano.*

On te cherche ! Une foule en délire conduite
Par ceux qui cette nuit marchèrent à ta suite...

CYRANO, *épouvanté.*

Tu ne leur as pas dit où je me trouve ?...

LE BRET, *se frottant les mains.*

Si !

UN BOURGEOIS, *entrant, suivi d'un groupe.*

Monsieur, tout le Marais se fait porter ici !

Au-dehors, la rue s'est remplie de monde.
Des chaises à porteurs, des carrosses s'arrêtent.

LE BRET, *bas, souriant à Cyrano.*

Et Roxane ?

1. Couronnes de baron.

117

CYRANO, *vivement.*

Tais-toi !

LA FOULE, *criant dehors.*

Cyrano !...

Une cohue se précipite dans la pâtisserie.
Bousculade. Acclamations.

RAGUENEAU, *debout sur une table.*

Ma boutique
Est envahie ! On casse tout ! C'est magnifique !

DES GENS, *autour de Cyrano.*

Mon ami... mon ami...

CYRANO

Je n'avais pas hier
Tant d'amis...

LE BRET, *ravi.*

Le succès !

UN PETIT MARQUIS, *accourant les mains tendues.*

Si tu savais, mon cher...

CYRANO

Si tu ?... Tu ?... Qu'est-ce donc qu'ensemble nous gar-
[dâmes ?

UN AUTRE

Je veux vous présenter, Monsieur, à quelques dames
Qui là, dans mon carrosse...

CYRANO, *froidement.*

Et vous d'abord, à moi,
Qui vous présentera ?

LE BRET, *stupéfait.*

Mais qu'as-tu donc ?

CYRANO

Tais-toi !

UN HOMME DE LETTRES, *avec une écritoire.*

Puis-je avoir des détails sur ?...

CYRANO

Non.

LE BRET, *lui poussant le coude.*

C'est Théophraste
Renaudot ! l'inventeur de la gazette.

CYRANO

Baste !

LE BRET

Cette feuille où l'on fait tant de choses tenir !
On dit que cette idée a beaucoup d'avenir !

LE POÈTE, *s'avançant.*

Monsieur...

CYRANO

Encor !

LE POÈTE

Je veux faire un pentacrostiche
Sur votre nom...

QUELQU'UN, *s'avançant encore.*

Monsieur...

CYRANO

Assez !

*Mouvement. On se range. De Guiche
paraît, escorté d'officiers, Cuigy, Brissaille,
les officiers qui sont partis avec Cyrano à la
fin du premier acte. Cuigy vient vivement à
Cyrano.*

CUIGY, *à Cyrano.*

Monsieur de Guiche !

Murmure. Tout le monde se range.

Vient de la part du maréchal de Gassion !

DE GUICHE, *saluant Cyrano.*

... Qui tient à vous mander son admiration
Pour le nouvel exploit dont le bruit vient de courre [1].

LA FOULE

Bravo !...

CYRANO, *s'inclinant.*

Le maréchal s'y connaît en bravoure.

DE GUICHE

Il n'aurait jamais cru le fait si ces messieurs
N'avaient pu lui jurer l'avoir vu.

CUIGY

De nos yeux !

LE BRET, *bas à Cyrano, qui a l'air absent.*

Mais...

CYRANO

Tais-toi !

LE BRET

Tu parais souffrir !

CYRANO, *tressaillant et se redressant vivement.*

Devant ce monde ?...

Sa moustache se hérisse ; il poitrine.

Moi, souffrir ?... Tu vas voir !

1. Ancienne forme de courir.

DE GUICHE, *auquel Cuigy a parlé à l'oreille.*

Votre carrière abonde
De beaux exploits, déjà. – Vous servez chez ces fous
De Gascons, n'est-ce pas ?

CYRANO

Aux cadets, oui.

UN CADET, *d'une voix terrible.*

Chez nous !

DE GUICHE, *regardant les Gascons, rangés derrière Cyrano.*

Ah ! ah... ! tous ces messieurs à la mine hautaine,
Ce sont donc les fameux ?...

CARBON DE CASTEL-JALOUX

Cyrano !

CYRANO

Capitaine ?

CARBON

Puisque ma compagnie est, je crois, au complet,
Veuillez la présenter au comte, s'il vous plaît.

CYRANO, *faisant deux pas vers de Guiche, et montrant
les cadets.*

Ce sont les cadets de Gascogne
De Carbon de Castel-Jaloux ;
Bretteurs et menteurs sans vergogne,
Ce sont les cadets de Gascogne !
Parlant blason, lambel, bastogne [1],
Tous plus nobles que des filous,
Ce sont les cadets de Gascogne
De Carbon de Castel-Jaloux :

Œil d'aigle, jambe de cigogne,
Moustache de chat, dents de loups,

1. Termes techniques utilisés dans la description des blasons.

Fendant la canaille qui grogne,
Œil d'aigle, jambe de cigogne,
Ils vont, – coiffés d'un vieux vigogne [1]
Dont la plume cache les trous ! –
Œil d'aigle, jambe de cigogne,
Moustache de chat, dents de loups !

Perce-Bedaine et Casse-Trogne
Sont leurs sobriquets les plus doux ;
De gloire, leur âme est ivrogne !
Perce-Bedaine et Casse-Trogne,
Dans tous les endroits où l'on cogne
Ils se donnent des rendez-vous...
Perce-Bedaine et Casse-Trogne
Sont leurs sobriquets les plus doux !

Voici les cadets de Gascogne
Qui font cocus tous les jaloux !
O femme, adorable carogne [2],
Voici les cadets de Gascogne !
Que le vieil époux se renfrogne :
Sonnez, clairons ! chantez, coucous !
Voici les cadets de Gascogne
Qui font cocus tous les jaloux !

DE GUICHE, *nonchalamment assis dans un fauteuil*
que Ragueneau a vite apporté.

Un poète est un luxe, aujourd'hui, qu'on se donne.
– Voulez-vous être à moi ?

CYRANO

Non, Monsieur, à personne.

DE GUICHE

Votre verve amusa mon oncle Richelieu,
Hier. Je veux vous servir auprès de lui.

1. Chapeau en laine de vigogne, mammifère du Pérou proche du lama.
2. Charogne, terme injurieux pour désigner une femme.

LE BRET, *ébloui.*

Grand Dieu !

DE GUICHE

Vous avez bien rimé cinq actes, j'imagine ?

LE BRET, *à l'oreille de Cyrano.*

Tu vas faire jouer, mon cher, ton *Agrippine* !

DE GUICHE

Portez-les-lui.

CYRANO, *tenté et un peu charmé.*

Vraiment...

DE GUICHE

Il est des plus experts.
Il vous corrigera seulement quelques vers...

CYRANO, *dont le visage s'est immédiatement rembruni.*

Impossible, Monsieur ; mon sang se coagule
En pensant qu'on y peut changer une virgule.

DE GUICHE

Mais quand un vers lui plaît, en revanche, mon cher,
Il le paie très cher.

CYRANO

Il le paie moins cher
Que moi, lorsque j'ai fait un vers, et que je l'aime,
Je me le paie, en me le chantant à moi-même !

DE GUICHE

Vous êtes fier.

CYRANO

Vraiment, vous l'avez remarqué ?

UN CADET, *entrant avec, enfilés à son épée, des chapeaux aux plumets miteux, aux coiffes trouées, défoncées.*

Regarde, Cyrano ! ce matin, sur le quai,
Le bizarre gibier à plumes que nous prîmes !
Les feutres des fuyards !...

CARBON

Des dépouilles opimes [1] !

TOUT LE MONDE, *riant.*

Ah ! Ah ! Ah !

CUIGY

Celui qui posta ces gueux, ma foi,
Doit rager aujourd'hui.

BRISSAILLE

Sait-on qui c'est ?

DE GUICHE

C'est moi.

Les rires s'arrêtent.

Je les avais chargés de châtier, – besogne
Qu'on ne fait pas soi-même, – un rimailleur ivrogne.

Silence gêné.

LE CADET, *à mi-voix, à Cyrano, lui montrant les feutres.*

Que faut-il qu'on en fasse ? Ils sont gras... Un salmis [2] ?

CYRANO, *prenant l'épée où ils sont enfilés, et les faisant, dans un salut, tous glisser aux pieds de de Guiche.*

Monsieur, si vous voulez les rendre à vos amis ?

DE GUICHE, *se levant et d'une voix brève.*

Ma chaise et mes porteurs, tout de suite : je monte.

1. Dépouilles qu'un général romain avait coutume de prendre au général ennemi lorsque ce dernier était vaincu.
2. Ragoût de gibier préalablement cuit à la broche.

A Cyrano, violemment.

Vous, Monsieur !...

UNE VOIX, *dans la rue, criant.*

Les porteurs de monseigneur le comte
De Guiche !

DE GUICHE, *qui s'est dominé, avec un sourire.*

... Avez-vous lu *Don Quichot ?*

CYRANO

Je l'ai lu.
Et me découvre au nom de cet hurluberlu.

DE GUICHE

Veuillez donc méditer alors...

UN PORTEUR, *paraissant au fond.*

Voici la chaise.

DE GUICHE

Sur le chapitre des moulins !

CYRANO, *saluant.*

Chapitre treize.

DE GUICHE

Car, lorsqu'on les attaque, il arrive souvent...

CYRANO

J'attaque donc les gens qui tournent à tout vent ?

DE GUICHE

Qu'un moulinet de leurs grands bras chargés de toiles
Vous lance dans la boue !...

CYRANO

Ou bien dans les étoiles !

De Guiche sort. On le voit remonter en chaise. Les seigneurs s'éloignent en chuchotant. Le Bret les réaccompagne. La foule sort.

CYRANO, LE BRET, les Cadets, qui se sont attablés à droite et à gauche et auxquels on sert à boire et à manger.

CYRANO, *saluant d'un air goguenard ceux qui sortent sans oser le saluer.*

Messieurs... Messieurs... Messieurs...

LE BRET, *désolé, redescendant, les bras au ciel.*

Ah ! dans quels jolis draps...

CYRANO

Oh ! toi ! tu vas grogner !

LE BRET

Enfin, tu conviendras
Qu'assassiner toujours la chance passagère,
Devient exagéré.

CYRANO

Hé bien oui, j'exagère !

LE BRET, *triomphant.*

Ah !

CYRANO

Mais pour le principe, et pour l'exemple aussi,
Je trouve qu'il est bon d'exagérer ainsi.

LE BRET

Si tu laissais un peu ton âme mousquetaire,
La fortune et la gloire...

CYRANO

Et que faudrait-il faire ?
Chercher un protecteur puissant, prendre un patron,
Et comme un lierre obscur qui circonvient un tronc
Et s'en fait un tuteur en lui léchant l'écorce,

Grimper par ruse au lieu de s'élever par force ?
Non, merci. Dédier, comme tous ils le font,
Des vers aux financiers ? se changer en bouffon
Dans l'espoir vil de voir, aux lèvres d'un ministre,
Naître un sourire, enfin, qui ne soit pas sinistre ?
Non, merci. Déjeuner, chaque jour, d'un crapaud ?
Avoir un ventre usé par la marche ? une peau
Qui plus vite, à l'endroit des genoux, devient sale ?
Exécuter des tours de souplesse dorsale ?
Non, merci. D'une main flatter la chèvre au cou
Cependant que, de l'autre, on arrose le chou,
Et, donneur de séné par désir de rhubarbe [1],
Avoir son encensoir, toujours, dans quelque barbe ?
Non, merci ! Se pousser de giron en giron,
Devenir un petit grand homme dans un rond,
Et naviguer, avec des madrigaux pour rames,
Et dans ses voiles des soupirs de vieilles dames ?
Non, merci ! Chez le bon éditeur de Sercy
Faire éditer ses vers en payant ? Non, merci !
S'aller faire nommer pape par les conciles
Que dans des cabarets tiennent des imbéciles ?
Non, merci ! Travailler à se construire un nom
Sur un sonnet, au lieu d'en faire d'autres ? Non,
Merci ! Ne découvrir du talent qu'aux mazettes [2] ?
Être terrorisé par de vagues gazettes,
Et se dire sans cesse : « Oh ! pourvu que je sois
Dans les petits papiers du *Mercure François ?* »
Non, merci ! Calculer, avoir peur, être blême,
Aimer mieux faire une visite qu'un poème,
Rédiger des placets [3], se faire présenter ?
Non, merci ! non, merci ! non merci ! Mais... chanter,
Rêver, rire, passer, être seul, être libre,

---

1. « Passe-moi la rhubarbe, je te donnerai le séné », formule populaire inspirée du dialogue entre deux médecins, dans une pièce de Molière (*L'Amour médecin*), qui s'échangent des plantes médicinales. Signifie faire des concessions réciproques dans l'espoir d'en obtenir des avantages ultérieurs.

2. Personnes ternes et médiocres.

3. Lettres adressées à un souverain ou à un personnage puissant dans l'espoir d'obtenir une faveur.

Avoir l'œil qui regarde bien, la voix qui vibre,
Mettre, quand il vous plaît, son feutre de travers,
Pour un oui, pour un non, se battre, ou – faire un vers !
Travailler sans souci de gloire ou de fortune,
A tel voyage, auquel on pense, dans la lune !
N'écrire jamais rien qui de soi ne sortît,
Et modeste d'ailleurs, se dire : mon petit,
Sois satisfait des fleurs, des fruits, même des feuilles,
Si c'est dans ton jardin à toi que tu les cueilles !
Puis, s'il advient d'un peu triompher, par hasard,
Ne pas être obligé d'en rien rendre à César,
Vis-à-vis de soi-même en garder le mérite,
Bref, dédaignant d'être le lierre parasite,
Lors même qu'on n'est pas le chêne ou le tilleul,
Ne pas monter bien haut, peut-être, mais tout seul !

LE BRET

Tout seul, soit ! mais non pas contre tous ! Comment diable
As-tu contracté la manie effroyable
De te faire toujours, partout, des ennemis ?

CYRANO

A force de vous voir vous faire des amis,
Et rire à ces amis dont vous avez des foules,
D'une bouche empruntée au derrière des poules !
J'aime raréfier sur mes pas les saluts,
Et m'écrie avec joie : un ennemi de plus !

LE BRET

Quelle aberration !

CYRANO

                    Eh bien ! oui, c'est mon vice.
Déplaire est mon plaisir. J'aime qu'on me haïsse.
Mon cher, si tu savais comme l'on marche mieux
Sous la pistolétade excitante des yeux !
Comme, sur les pourpoints, font d'amusantes taches
Le fiel des envieux et la bave des lâches !
– Vous, la molle amitié dont vous vous entourez,
Ressemble à ces grands cols d'Italie, ajourés

Et flottants, dans lesquels votre cou s'effémine :
On y est plus à l'aise... et de moins haute mine,
Car le front n'ayant pas de maintien ni de loi,
S'abandonne à pencher dans tous les sens. Mais moi,
La Haine, chaque jour, me tuyaute et m'apprête
La fraise dont l'empois force à lever la tête ;
Chaque ennemi de plus est un nouveau godron [1]
Qui m'ajoute une gêne, et m'ajoute un rayon :
Car, pareille en tous points à la fraise espagnole,
La Haine est un carcan, mais c'est une auréole !

LE BRET, *après un silence, passant son bras sous le sien.*

Fais tout haut l'orgueilleux et l'amer, mais, tout bas,
Dis-moi tout simplement qu'elle ne t'aime pas !

CYRANO, *vivement.*

Tais-toi !

> *Depuis un moment, Christian est entré,
> s'est mêlé aux cadets ; ceux-ci ne lui
> adressent pas la parole ; il a fini par s'as-
> seoir seul à une petite table, où Lise le sert.*

SCÈNE IX

CYRANO, LE BRET, les Cadets, CHRISTIAN DE NEUVILLETTE.

UN CADET, *assis à une table du fond, le verre à la main.*

Hé ! Cyrano !

Cyrano se retourne.

Le récit ?

CYRANO

Tout à l'heure !

1. Pli rond des fraises que l'on portait jadis autour du cou.

Il remonte au bras de Le Bret. Ils causent bas.

LE CADET, *se levant et descendant.*

Le récit du combat ! Ce sera la meilleure
Leçon

Il s'arrête devant la table où est Christian.

pour ce timide apprentif !

CHRISTIAN, *levant la tête.*

Apprentif ?

UN AUTRE CADET

Oui ! septentrional maladif !

CHRISTIAN

Maladif ?

PREMIER CADET, *goguenard.*

Monsieur de Neuvillette, apprenez quelque chose :
C'est qu'il est un objet, chez nous, dont on ne cause
Pas plus que de cordon dans l'hôtel d'un pendu !

CHRISTIAN

Qu'est-ce ?

UN AUTRE CADET, *d'une voix terrible.*

Regarde-moi !

*Il pose trois fois, mystérieusement, son
doigt sur son nez.*

M'avez-vous entendu ?

CHRISTIAN

Ah ! c'est le...

UN AUTRE

Chut !... jamais ce mot ne se profère !

> *Il montre Cyrano qui cause au fond avec*
> *Le Bret.*

Ou c'est à lui, là-bas, que l'on aurait affaire !

> UN AUTRE, *qui, pendant qu'il était tourné vers les premiers,*
> *est venu sans bruit s'asseoir sur la table, dans son dos.*

Deux nasillards par lui furent exterminés
Parce qu'il lui déplut qu'ils parlassent du nez !

> UN AUTRE, *d'une voix caverneuse, – surgissant de sous la*
> *table où il s'est glissé à quatre pattes.*

On ne peut faire, sans défuncter avant l'âge,
La moindre allusion au fatal cartilage !

> UN AUTRE, *lui posant la main sur l'épaule.*

Un mot suffit ! Que dis-je, un mot ? Un geste, un seul !
Et tirer son mouchoir, c'est tirer son linceul !

> *Silence. Tous autour de lui, les bras croi-*
> *sés, le regardent. Il se lève et va à Carbon de*
> *Castel-Jaloux qui, causant avec un officier,*
> *a l'air de ne rien voir.*

CHRISTIAN

Capitaine !

CARBON, *se retournant et le toisant.*

Monsieur ?

CHRISTIAN

Que fait-on quand on trouve
Des Méridionaux trop vantards ?...

CARBON

On leur prouve
Qu'on peut être du Nord, et courageux.

> *Il lui tourne le dos.*

132

CHRISTIAN

Merci.

PREMIER CADET, *à Cyrano.*

Maintenant, ton récit !

TOUS

Son récit !

CYRANO, *redescend vers eux.*

Mon récit ?...

Tous rapprochent leurs escabeaux, se groupent autour de lui, tendent le col. Christian s'est mis à cheval sur une chaise.

Eh bien ! donc je marchais tout seul, à leur rencontre.
La lune, dans le ciel, luisait comme une montre,
Quand soudain, je ne sais quel soigneux horloger
S'étant mis à passer un coton nuager
Sur le boîtier d'argent de cette montre ronde,
Il se fit une nuit la plus noire du monde,
Et les quais n'étant pas du tout illuminés,
Mordious ! on n'y voyait pas plus loin...

CHRISTIAN

Que son nez.

Silence. Tout le monde se lève lentement. On regarde Cyrano avec terreur. Celui-ci s'est interrompu. Stupéfait. Attente.

CYRANO

Qu'est-ce que c'est que cet homme-là !

UN CADET, *à mi-voix.*

C'est un homme
Arrivé ce matin.

CYRANO, *faisant un pas vers Christian.*

Ce matin ?

CARBON, *à mi-voix.*

Il se nomme

Le baron de Neuvil...

CYRANO, *vivement, s'arrêtant.*

Ah ! c'est bien...

Il pâlit, rougit, a encore un mouvement pour se jeter sur Christian.

Je...

Puis il se domine, et dit d'une voix sourde.

Très bien...

Il reprend.

Je disais donc...

Avec un éclat de rage dans la voix.

Mordious !...

Il continue d'un ton naturel.

Que l'on n'y voyait rien

Stupeur. On se rassied en se regardant.

Et je marchais, songeant que pour un gueux fort mince
J'allais mécontenter quelque grand, quelque prince,
Qui m'aurait sûrement...

CHRISTIAN

Dans le nez...

Tout le monde se lève. Christian se balance sur sa chaise.

CYRANO, *d'une voix étranglée.*

Une dent, –

Qui m'aurait une dent... et qu'en somme, imprudent,
J'allais fourrer...

CHRISTIAN

le nez...

134

CYRANO

Le doigt... entre l'écorce
Et l'arbre, car ce grand pouvait être de force
A me faire donner...

CHRISTIAN

Sur le nez...

CYRANO, *essuyant la sueur à son front.*

Sur les doigts.
– Mais j'ajoutai : Marche, Gascon, fais ce que dois !
Va, Cyrano ! Et ce disant, je me hasarde,
Quand, dans l'ombre, quelqu'un me porte...

CHRISTIAN

Une nasarde.

CYRANO

Je la pare, et soudain me trouve...

CHRISTIAN

Nez à nez...

CYRANO, *bondissant vers lui.*

Ventre-Saint-Gris !

*Tous les Gascons se précipitent pour voir ;
arrivé sur Christian, il se maîtrise et continue.*

avec cent braillards avinés

Qui puaient...

CHRISTIAN

A plein nez...

CYRANO, *blême et souriant.*

L'oignon et la litharge [1] !
Je bondis, front baissé...

1. Produit chimique à base de plomb qui servait à falsifier certains
vins pour les rendre moins acides.

CHRISTIAN

Nez au vent !

CYRANO

et je charge !
J'en estomaque deux ! J'en empale un tout vif !
Quelqu'un m'ajuste : Paf ! et je riposte...

CHRISTIAN

Pif !

CYRANO, *éclatant.*

Tonnerre ! Sortez tous !

Tous les cadets se précipitent vers les portes.

PREMIER CADET

C'est le réveil du tigre !

CYRANO

Tous ! Et laissez-moi seul avec cet homme !

DEUXIÈME CADET

Bigre !
On va le retrouver en hachis !

RAGUENEAU

En hachis ?

UN AUTRE CADET

Dans un de vos pâtés !

RAGUENEAU

Je sens que je blanchis,
Et que je m'amollis comme une serviette !

CARBON

Sortons !

Il n'en va pas laisser une miette !

Ce qui va se passer ici, j'en meurs d'effroi !

Quelque chose d'épouvantable !

> *Ils sont tous sortis, – soit par le fond, soit*
> *par les côtés, – quelques-uns ont disparu par*
> *l'escalier. Cyrano et Christian restent face à*
> *face, et se regardent un moment.*

SCÈNE X

CYRANO, CHRISTIAN

CYRANO

Embrasse-moi !

CHRISTIAN

Monsieur...

CYRANO

Brave.

CHRISTIAN

Ah çà ! mais !...

CYRANO

Très brave. Je préfère.

CHRISTIAN

Me direz-vous ?...

CYRANO

Embrasse-moi. Je suis son frère.

CHRISTIAN

De qui ?

CYRANO

Mais d'elle !

CHRISTIAN

Hein ?

CYRANO

Mais de Roxane !

CHRISTIAN, *courant à lui.*

Ciel !

Vous, son frère ?

CYRANO

Ou tout comme : un cousin fraternel.

CHRISTIAN

Elle vous a ?...

CYRANO

Tout dit !

CHRISTIAN

M'aime-t-elle ?

CYRANO

Peut-être !

CHRISTIAN, *lui prenant les mains.*

Comme je suis heureux, Monsieur, de vous connaître !

CYRANO

Voilà ce qui s'appelle un sentiment soudain.

CHRISTIAN

Pardonnez-moi...

CYRANO, *le regardant, et lui mettant la main sur l'épaule.*

C'est vrai qu'il est beau, le gredin !

CHRISTIAN

Si vous saviez, Monsieur, comme je vous admire !

CYRANO

Mais tous ces nez que vous m'avez...

CHRISTIAN

                    Je les retire !

CYRANO

Roxane attend ce soir une lettre...

CHRISTIAN

                    Hélas !

CYRANO

                        Quoi ?

CHRISTIAN

C'est me perdre que de cesser de rester coi !

CYRANO

Comment ?

CHRISTIAN

            Las ! je suis sot à m'en tuer de honte.

CYRANO

Mais non, tu ne l'es pas, puisque tu t'en rends compte.
D'ailleurs, tu ne m'as pas attaqué comme un sot.

CHRISTIAN

Bah ! on trouve des mots quand on monte à l'assaut !
Oui, j'ai certain esprit facile et militaire.
Mais je ne sais, devant les femmes, que me taire.
Oh ! leurs yeux, quand je passe, ont pour moi des bontés...

CYRANO

Leurs cœurs n'en ont-ils plus quand vous vous arrêtez ?

CHRISTIAN

Non ! car je suis de ceux, – je le sais... et je tremble ! –
Qui ne savent parler d'amour...

CYRANO

Tiens !... Il me semble
Que si l'on eût pris soin de me mieux modeler,
J'aurais été de ceux qui savent en parler.

CHRISTIAN

Oh ! pouvoir exprimer les choses avec grâce !

CYRANO

Être un joli petit mousquetaire qui passe !

CHRISTIAN

Roxane est précieuse et sûrement je vais
Désillusionner Roxane !

CYRANO, *regardant Christian.*

Si j'avais
Pour exprimer mon âme un pareil interprète !

CHRISTIAN, *avec désespoir.*

Il me faudrait de l'éloquence !

CYRANO, *brusquement.*

Je t'en prête !
Toi, du charme physique et vainqueur, prête-m'en :
Et faisons à nous deux un héros de roman !

CHRISTIAN

Quoi ?

CYRANO

Te sens-tu de force à répéter les choses
Que chaque jour je t'apprendrai ?...

CHRISTIAN

Tu me proposes...

CYRANO

Roxane n'aura pas de désillusions !
Dis, veux-tu qu'à nous deux nous la séduisions ?

Veux-tu sentir passer, de mon pourpoint de buffle
Dans ton pourpoint brodé, l'âme que je t'insuffle !...

CHRISTIAN

Mais, Cyrano !...

CYRANO

Christian, veux-tu ?

CHRISTIAN

Tu me fais peur !

CYRANO

Puisque tu crains, tout seul, de refroidir son cœur,
Veux-tu que nous fassions – et bientôt tu l'embrases ! –
Collaborer un peu tes lèvres et mes phrases ?...

CHRISTIAN

Tes yeux brillent !...

CYRANO

Veux-tu... ?

CHRISTIAN

Quoi ! cela te ferait
Tant de plaisir ?...

CYRANO, *avec enivrement.*

Cela...

Se reprenant, et en artiste.

Cela m'amuserait !
C'est une expérience à tenter un poète.
Veux-tu me compléter et que je te complète ?
Tu marcheras, j'irai dans l'ombre à ton côté :
Je serai ton esprit, tu seras ma beauté.

CHRISTIAN

Mais la lettre qu'il faut, au plus tôt, lui remettre !
Je ne pourrai jamais...

CYRANO, *sortant de son pourpoint la lettre qu'il a écrite.*

Tiens, la voilà, ta lettre !

CHRISTIAN

Comment ?

CYRANO

Hormis l'adresse, il n'y manque plus rien.

CHRISTIAN

Je...

CYRANO

Tu peux l'envoyer. Sois tranquille. Elle est bien.

CHRISTIAN

Vous aviez ?...

CYRANO

Nous avons toujours, nous, dans nos poches,
Des épîtres à des Chloris [1]... de nos caboches,
Car nous sommes ceux-là qui pour amante n'ont
Que du rêve soufflé dans la bulle d'un nom !...
Prends, et tu changeras en vérités ces feintes ;
Je lançais au hasard ces aveux et ces plaintes :
Tu verras se poser tous ces oiseaux errants.
Tu verras que je fus dans cette lettre – prends ! –
D'autant plus éloquent que j'étais moins sincère !
Prends donc, et finissons !

CHRISTIAN

N'est-il pas nécessaire
De changer quelques mots ? Écrite en divaguant,
Ira-t-elle à Roxane ?

CYRANO

Elle ira comme un gant !

1. Déesse des fleurs, dans l'Antiquité grecque.

143

CHRISTIAN

Mais...

CYRANO

La crédulité de l'amour-propre est telle,
Que Roxane croira que c'est écrit pour elle !

CHRISTIAN

Ah ! mon ami !

*Il se jette dans les bras de Cyrano. Ils
restent embrassés.*

SCÈNE XI

CYRANO, CHRISTIAN, les Gascons, le Mousquetaire, LISE.

UN CADET, *entrouvrant la porte.*

Plus rien... Un silence de mort...
Je n'ose regarder...

Il passe la tête.

Hein ?

TOUS LES CADETS, *entrant et voyant Cyrano et Christian
qui s'embrassent.*

Ah !... Oh !...

UN CADET

C'est trop fort !

Consternation.

LE MOUSQUETAIRE, *goguenard.*

Ouais ?...

CARBON

Notre démon est doux comme un apôtre !
Quand sur une narine on le frappe, – il tend l'autre ?

144

On peut donc lui parler de son nez, maintenant ?...

Appelant Lise, d'un air triomphant.

– Eh ! Lise ! Tu vas voir !

Humant l'air avec affectation.

Oh !... oh !... c'est surprenant !
Quelle odeur !...

*Allant à Cyrano, dont il regarde le nez
avec impertinence.*

Mais monsieur doit l'avoir reniflée ?
Qu'est-ce que cela sent ici ?...

CYRANO, *le souffletant.*

La giroflée !

Joie. Les cadets ont retrouvé Cyrano ; ils font des culbutes.

RIDEAU

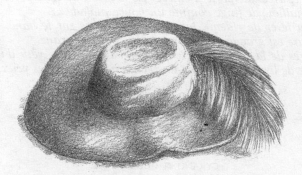

Troisième acte

Le baiser de Roxane

Une petite place dans l'ancien Marais. Vieilles maisons. Perspectives de ruelles. A droite, la maison de Roxane et le mur de son jardin qui débordent de larges feuillages. Au-dessus de la porte, fenêtre et balcon. Un banc devant le seuil.

Du lierre grimpe au mur, du jasmin enguirlande le balcon, frissonne et retombe.

Par le banc et les pierres en saillie du mur, on peut facilement grimper au balcon.

En face, une ancienne maison de même style, brique et pierre, avec une porte d'entrée. Le heurtoir de cette porte est emmailloté de linge comme un pouce malade.

Au lever de rideau, la duègne est assise sur le banc. La fenêtre est grande ouverte sur le balcon de Roxane.

Près de la duègne se tient debout Ragueneau, vêtu d'une sorte de livrée : il termine un récit, en s'essuyant les yeux.

SCÈNE PREMIÈRE

RAGUENEAU, la Duègne, puis ROXANE.
CYRANO et deux Pages.

RAGUENEAU

... Et puis, elle est partie avec un mousquetaire !
Seul, ruiné, je me pends. J'avais quitté la terre.

Monsieur de Bergerac entre, et, me dépendant,
Me vient à sa cousine offrir comme intendant.

LA DUÈGNE

Mais comment expliquer cette ruine où vous êtes ?

RAGUENEAU

Lise aimait les guerriers, et j'aimais les poètes !
Mars mangeait les gâteaux que laissait Apollon !
– Alors, vous comprenez, cela ne fut pas long !

LA DUÈGNE, *à Ragueneau, lui montrant la porte d'en face.*

Roxane, êtes-vous prête ?... On nous attend !

LA VOIX DE ROXANE, *par la fenêtre.*

Je passe

Une mante !

LA DUÈGNE, *se levant et appelant vers la fenêtre ouverte.*

C'est là qu'on nous attend, en face.
Chez Clomire. Elle tient bureau, dans son réduit.
On y lit un discours sur le Tendre [1], aujourd'hui.

RAGUENEAU

Sur le Tendre ?

LA DUÈGNE, *minaudant.*

Mais oui !...

Criant vers la fenêtre.

Roxane, il faut descendre
Ou nous allons manquer le discours sur le Tendre !

---

1. Allusion à la Carte du Tendre que Mlle de Scudery, célèbre précieuse, a fait figurer dans son roman *Clélie*. Se présentant comme une
carte de géographie, elle rassemblait sous forme de noms de lieux sym-
boliques toutes les étapes de la séduction. On y trouvait ainsi le fleuve
d'Inclination qui traversait une contrée dont les lieux-dits s'appelaient
Billet Doux, Grand Cœur, Petits Soins, etc.

Je viens !

> *On entend un bruit d'instruments à cordes qui se rapproche.*

LA VOIX DE CYRANO, *chantant dans la coulisse.*

La ! la ! la ! la !

LA DUÈGNE, *surprise.*

On nous joue un morceau ?

CYRANO, *suivi de deux pages porteurs de théorbes [1].*

Je vous dis que la croche est triple, triple sot !

PREMIER PAGE, *ironique.*

Vous savez donc, Monsieur, si les croches sont triples ?

CYRANO

Je suis musicien, comme tous les disciples
De Gassendi [2] !

LE PAGE, *jouant et chantant.*

La ! la !

CYRANO, *lui arrachant le théorbe et continuant la phrase musicale.*

Je peux continuer !...

La ! la ! la ! la !

ROXANE, *paraissant sur le balcon.*

C'est vous ?

CYRANO, *chantant sur l'air qu'il continue.*

Moi qui viens saluer
Vos lys, et présenter mes respects à vos ro... ses !

1. Ou téorbes : instruments à cordes de la famille du luth.
2. Philosophe et mathématicien français (1592-1655), adversaire de Descartes. Il eut une influence sur les philosophes du XVIIIᵉ siècle, et notamment Diderot.

Je descends !

Elle quitte le balcon.

LA DUÈGNE, *montrant les pages.*

Qu'est-ce donc que ces deux virtuoses ?

CYRANO

C'est un pari que j'ai gagné sur d'Assoucy.
Nous discutions un point de grammaire. – Non ! – Si ! –
Quand soudain me montrant ces deux grands escogriffes
Habiles à gratter les cordes de leurs griffes,
Et dont il fait toujours son escorte, il me dit :
« Je te parie un jour de musique ! » Il perdit.
Jusqu'à ce que Phoebus [1] recommence son orbe [2],
J'ai donc sur mes talons ces joueurs de théorbe,
De tout ce que je fais, harmonieux témoins
Ce fut d'abord charmant, et ce l'est déjà moins.

Aux musiciens.

Hep !... Allez de ma part jouer une pavane
A Montfleury !...

*Les pages remontent pour sortir. – A la
duègne.*

Je viens demander à Roxane.
Ainsi que chaque soir...

Aux pages qui sortent.

Jouez longtemps, – et faux !

A la duègne.

... Si l'ami de son âme est toujours sans défauts ?

ROXANE, *sortant de la maison.*

Ah ! qu'il est beau, qu'il a d'esprit et que je l'aime !

1. Autre nom d'Apollon, dieu de la lumière dans l'Antiquité.
2. Espace délimité par l'orbite d'une planète ou d'un astre.

CYRANO, *souriant.*

Christian a tant d'esprit ?...

ROXANE

Mon cher, plus que vous-même !

CYRANO

J'y consens.

ROXANE

Il ne peut exister à mon goût
Plus fin diseur de ces jolis riens qui sont tout.
Parfois il est distrait, ses Muses sont absentes ;
Puis, tout à coup, il dit des choses ravissantes !

CYRANO, *incrédule.*

Non ?

ROXANE

C'est trop fort ! Voilà comme les hommes sont :
Il n'aura pas d'esprit puisqu'il est beau garçon !

CYRANO

Il sait parler du cœur d'une façon experte ?

ROXANE

Mais il n'en parle pas, Monsieur, il en disserte !

CYRANO

Il écrit ?

ROXANE

Mieux encor ! Écoutez donc un peu :

Déclamant.

« *Plus tu me prends de cœur, plus j'en ai !...* »

Triomphante.

Eh ! bien !

CYRANO

Peuh !...

ROXANE

Et ceci : « *Pour souffrir, puisqu'il m'en faut un autre,*
Si vous gardez mon cœur, envoyez-moi le vôtre ! »

CYRANO

Tantôt il en a trop et tantôt pas assez,
Qu'est-ce au juste qu'il veut, de cœur ?...

ROXANE, *frappant du pied.*

Vous m'agacez !

C'est la jalousie...

CYRANO, *tressaillant.*

Hein !...

ROXANE

... d'auteur qui vous dévore !
– Et ceci, n'est-il pas du dernier tendre encore ?
« *Croyez que devers* [1] *vous mon cœur ne fait qu'un cri,*
Et que si les baisers s'envoyaient par écrit,
Madame, vous liriez ma lettre avec les lèvres !... »

CYRANO, *souriant malgré lui de satisfaction.*

Ha ! ha ! ces lignes-là sont... hé ! hé !

Se reprenant et avec dédain.

mais bien mièvres !

ROXANE

Et ceci...

CYRANO, *ravi.*

Vous savez donc ses lettres par cœur ?

1. Vers.

Toutes !

CYRANO, *frisant sa moustache.*

Il n'y a pas à dire : c'est flatteur !

ROXANE

C'est un maître !...

CYRANO, *modeste.*

Oh !... un maître !...

ROXANE, *péremptoire.*

Un maître !...

CYRANO, *saluant*

Soit !... un maître !

LA DUÈGNE, *qui était remontée, redescend vivement.*

Monsieur de Guiche !

A Cyrano, le poussant vers la maison.

Entrez !... car il vaut mieux, peut-être,
Qu'il ne vous trouve pas ici ; cela pourrait
Le mettre sur la piste...

ROXANE, *à Cyrano.*

Oui, de mon cher secret !
Il m'aime, il est puissant, il ne faut pas qu'il sache !
Il peut dans mes amours donner un coup de hache !

CYRANO, *entrant dans la maison.*

Bien! bien ! bien !

De Guiche paraît.

ROXANE, DE GUICHE, la Duègne, à l'écart.

ROXANE, *à de Guiche, lui faisant une révérence.*

Je sortais.

DE GUICHE

Je viens prendre congé.

ROXANE

Vous partez ?

DE GUICHE

Pour la guerre.

ROXANE

Ah !

DE GUICHE

Ce soir même.

ROXANE

Ah !

DE GUICHE

J'ai

Des ordres. On assiège Arras.

ROXANE

Ah !... on assiège ?...

DE GUICHE

Oui... Mon départ a l'air de vous laisser de neige.

ROXANE, *poliment.*

Oh !...

DE GUICHE

Moi, je suis navré. Vous reverrai-je ?... Quand ?
– Vous savez que je suis nommé mestre de camp ?

153

ROXANE, *indifférente.*

Bravo.

DE GUICHE

Du régiment des gardes.

ROXANE, *saisie.*

Ah ! des gardes ?

DE GUICHE

Où sert votre cousin, l'homme aux phrases vantardes.
Je saurai me venger de lui, là-bas.

ROXANE, *suffoquée.*

Comment !
Les gardes vont là-bas ?

DE GUICHE, *riant.*

Tiens ! c'est mon régiment !

ROXANE, *tombant assise sur le banc, – à part.*

Christian !

DE GUICHE

Qu'avez-vous ?

ROXANE, *tout émue.*

Ce... départ... me désespère !
Quand on tient à quelqu'un, le savoir à la guerre !

DE GUICHE, *surpris et charmé.*

Pour la première fois me dire un mot si doux,
Le jour de mon départ !

ROXANE, *changeant de ton et s'éventant.*

Alors, – vous allez vous
Venger de mon cousin ?...

DE GUICHE, *souriant.*

On est pour lui ?

ROXANE

Non, – contre !

DE GUICHE

Vous le voyez ?

ROXANE

Très peu.

DE GUICHE

Partout on le rencontre
Avec un des cadets...

Il cherche le nom.

ce Neu... villen... viller...

ROXANE

Un grand ?

DE GUICHE

Blond.

ROXANE

Roux.

DE GUICHE

Beau !

ROXANE

Peuh !

DE GUICHE

Mais bête.

ROXANE

Il en a l'air !

Changeant de ton.

... Votre vengeance envers Cyrano, – c'est peut-être
De l'exposer au feu, qu'il adore ?... Elle est piètre !
Je sais bien, moi, ce qui lui serait sanglant !

C'est ?...

ROXANE

Mais si le régiment, en partant, le laissait
Avec ses chers cadets, pendant toute la guerre,
A Paris, bras croisés !... C'est la seule manière,
Un homme comme lui, de le faire enrager :
Vous voulez le punir ? privez-le de danger.

DE GUICHE

Une femme ! une femme ! il n'y a qu'une femme
Pour inventer ce tour !

ROXANE

Il se rongera l'âme,
Et ses amis les poings, de n'être pas au feu :
Et vous serez vengé !

DE GUICHE, *se rapprochant.*

Vous m'aimez donc un peu !

Elle sourit.

Je veux voir dans ce fait d'épouser ma rancune
Une preuve d'amour, Roxane !...

ROXANE

C'en est une.

DE GUICHE, *montrant plusieurs plis cachetés.*

J'ai les ordres sur moi qui vont être transmis.
A chaque compagnie, à l'instant même, hormis...

Il en détache un.

Celui-ci ! C'est celui des cadets.

Il le met dans sa poche.

Je le garde.

Riant.

156

Ah ! ah ! ah ! Cyrano !... Son humeur bataillarde !...
– Vous jouez donc des tours aux gens, vous ?...

ROXANE, *le regardant.*

Quelquefois.

DE GUICHE, *tout près d'elle.*

Vous m'affolez ! Ce soir – écoutez – oui, je dois
Être parti. Mais fuir quand je vous sens émue !...
Écoutez. Il y a, près d'ici, dans la rue
D'Orléans, un couvent fondé par le syndic
Des capucins, le Père Athanase. Un laïc
N'y peut entrer. Mais les bons Pères, je m'en charge !...
Ils peuvent me cacher dans leur manche : elle est large.
– Ce sont les capucins qui servent Richelieu
Chez lui ; redoutant l'oncle, ils craignent le neveu. –
On me croira parti. Je viendrai sous le masque.
Laisse-moi retarder d'un jour, chère fantasque !

ROXANE, *vivement.*

Mais si cela s'apprend, votre gloire...

DE GUICHE

Bah !

ROXANE

Mais

Le siège, Arras...

DE GUICHE

Tant pis ! Permettez !

ROXANE

Non !

DE GUICHE

Permets !

ROXANE, *tendrement.*

Je dois vous le défendre !

DE GUICHE

Ah !

ROXANE

Partez !

A part.

Christian reste.

Haut.

Je vous veux héroïque, – Antoine !

DE GUICHE

Mot céleste !

Vous aimez donc celui ?...

ROXANE

Pour lequel j'ai frémi.

DE GUICHE, *transporté de joie.*

Je pars !

Il lui baise la main.

Êtes-vous contente ?

ROXANE

Oui, mon ami !

Il sort.

LA DUÈGNE, *lui faisant dans le dos une révérence comique.*

Oui, mon ami !

ROXANE, *à la duègne.*

Taisons ce que je viens de faire :
Cyrano m'en voudrait de lui voler sa guerre !

Elle appelle vers la maison.

Cousin !

158

SCÈNE III

ROXANE, la Duègne, CYRANO.

Nous allons chez Clomire.

Elle désigne la porte d'en face.

Alcandre y doit

Parler, et Lysimon !

LA DUÈGNE, *mettant son petit doigt dans son oreille.*

Oui ! mais mon petit doigt

Dit qu'on va les manquer !

CYRANO, *à Roxane.*

Ne manquez pas ces singes.

Ils sont arrivés devant la porte de Clomire.

LA DUÈGNE, *avec ravissement.*

Oh ! voyez ! le heurtoir est entouré de linges !...

Au heurtoir.

On vous a bâillonné pour que votre métal
Ne troublât pas les beaux discours, – petit brutal !

Elle le soulève avec des soins infinis et frappe doucement.

ROXANE, *voyant qu'on ouvre.*

Entrons !...

Du seuil, à Cyrano.

Si Christian vient, comme je présume,
Qu'il m'attende !

CYRANO, *vivement comme elle va disparaître.*

Ah !...

Elle se retourne.

Sur quoi, selon votre coutume,
Comptez-vous aujourd'hui l'interroger ?

ROXANE

Sur...

CYRANO, *vivement.*

Sur ?

ROXANE

Mais vous serez muet, là-dessus !

CYRANO

Comme un mur.

ROXANE

Sur rien !... Je vais lui dire : Allez ! Partez sans bride !
Improvisez. Parlez d'amour. Soyez splendide !

CYRANO, *riant.*

Bon.

ROXANE

Chut !...

CYRANO

Chut !...

ROXANE

Pas un mot !...

Elle rentre et referme la porte.

CYRANO, *la saluant, la porte une fois fermée.*

En vous remerciant.

*La porte se rouvre et Roxane passe la
tête.*

ROXANE

Il se préparerait !...

CYRANO

Diable, non !...

TOUS LES DEUX, *ensemble*.

Chut !...

La porte se ferme.

CYRANO, *appelant*.

Christian !

SCÈNE IV

CYRANO, CHRISTIAN.

CYRANO

Je sais tout ce qu'il faut. Prépare ta mémoire.
Voici l'occasion de se couvrir de gloire.
Ne perdons pas de temps. Ne prends pas l'air grognon.
Vite, rentrons chez toi, je vais t'apprendre...

CHRISTIAN

Non !

CYRANO

Hein ?

CHRISTIAN

Non ! J'attends Roxane ici.

CYRANO

De quel vertige
Es-tu frappé ? Viens vite apprendre...

CHRISTIAN

Non, te dis-je !
Je suis las d'emprunter mes lettres, mes discours,
Et de jouer ce rôle... et de trembler toujours !
C'était bon au début ! Mais je sens qu'elle m'aime !
Merci. Je n'ai plus peur. Je vais parler moi-même.

161

Ouais !

CHRISTIAN

Et qui te dit que je ne saurai pas ?...
Je ne suis pas si bête à la fin ! Tu verras !
Mais, mon cher, tes leçons m'ont été profitables.
Je saurai parler seul ! Et, de par tous les diables,
Je saurai bien toujours la prendre dans mes bras !...

*Apercevant Roxane, qui ressort de chez
Clomire.*

– C'est elle ! Cyrano, non ne me quitte pas !

CYRANO, *le saluant.*

Parlez tout seul, Monsieur.

Il disparaît derrière le mur du jardin.

SCÈNE V

CHRISTIAN, ROXANE, quelques Précieux et Précieuses, et la
Duègne, un instant.

ROXANE, *sortant de la maison de Clomire avec une
compagnie qu'elle quitte : révérences et saluts.*

Barthénoïde ! – Alcandre ! –
Grémione !...

LA DUÈGNE, *désespérée.*

On a manqué le discours sur le Tendre !

Elle rentre chez Roxane.

ROXANE, *saluant encore.*

Urimédonte... Adieu !...

Tous saluent Roxane, se resaluent entre eux, se séparent et s'éloignent par différentes rues. Roxane voit Christian.

C'est vous !...

Elle va à lui.

Le soir descend.

Attendez. Ils sont loin. L'air est doux. Nul passant. Asseyons-nous. Parlez. J'écoute.

CHRISTIAN, *s'assied près d'elle, sur le banc. Un silence.*

Je vous aime.

ROXANE, *fermant les yeux.*

Oui, parlez-moi d'amour.

CHRISTIAN

Je t'aime.

ROXANE

C'est le thème.

Brodez, brodez.

CHRISTIAN

Je vous...

ROXANE

Brodez !

CHRISTIAN

Je t'aime tant.

ROXANE

Sans doute. Et puis ?

CHRISTIAN

Et puis... je serais si content
Si vous m'aimiez ! – Dis-moi, Roxane, que tu m'aimes !

163

ROXANE, *avec une moue.*

Vous m'offrez du brouet quand j'espérais des crèmes !
Dites un peu comment vous m'aimez ?...

CHRISTIAN

Mais... beaucoup.

ROXANE

Oh !... Délabyrinthez vos sentiments !

CHRISTIAN, *qui s'est rapproché et dévore des yeux
la nuque blonde.*

Ton cou !

Je voudrais l'embrasser !...

ROXANE

Christian !

CHRISTIAN

Je t'aime !

ROXANE, *voulant se lever.*

Encore !

CHRISTIAN, *vivement, la retenant.*

Non, je ne t'aime pas !

ROXANE, *se rasseyant.*

C'est heureux !

CHRISTIAN

Je t'adore !

ROXANE, *se levant et s'éloignant.*

Oh !

CHRISTIAN

Oui... je deviens sot !

ROXANE, *sèchement.*

Et cela me déplaît !
Comme il me déplairait que vous devinssiez laid.

CHRISTIAN

Mais...

ROXANE

Allez rassembler votre éloquence en fuite !

CHRISTIAN

Je...

ROXANE

Vous m'aimez, je sais. Adieu.

Elle va vers la maison.

CHRISTIAN

Pas tout de suite !
Je vous dirai...

ROXANE, *poussant la porte pour rentrer.*

Que vous m'adorez... oui, je sais.
Non ! non ! Allez-vous-en !

CHRISTIAN

Mais je...

Elle lui ferme la porte au nez.

CYRANO, *qui depuis un moment est rentré sans être vu.*

C'est un succès.

SCÈNE VI

CHRISTIAN, CYRANO, les Pages, un instant.

CHRISTIAN

Au secours !

165

CYRANO

Non, Monsieur.

CHRISTIAN

Je meurs si je ne rentre
En grâce, à l'instant même...

CYRANO

Et comment puis-je, diantre !
Vous faire, à l'instant même, apprendre ?

CHRISTIAN, *lui saisissant le bras.*

Oh ! là, tiens, vois !

La fenêtre du balcon s'est éclairée.

CYRANO, *ému.*

Sa fenêtre !

CHRISTIAN, *criant.*

Je vais mourir !

CYRANO

Baissez la voix !

CHRISTIAN, *tout bas.*

Mourir !...

CYRANO

La nuit est noire...

CHRISTIAN

Eh bien ?

CYRANO

C'est réparable !
Vous ne méritez pas... Mets-toi là, misérable !
Là, devant le balcon ! Je me mettrai dessous...
Et je te soufflerai tes mots.

CHRISTIAN

Mais...

CYRANO

Taisez-vous !

LES PAGES, *reparaissant au fond, à Cyrano.*

Hep !

CYRANO

Chut !...

Il leur fait signe de parler bas.

PREMIER PAGE, *à mi-voix.*

Nous venons de donner la sérénade
A Montfleury !...

CYRANO, *bas, vite.*

Allez vous mettre en embuscade
L'un à ce coin de rue, et l'autre à celui-ci ;
Et si quelque passant gênant vient par ici,
Jouez un air !

DEUXIÈME PAGE

Quel air, monsieur le gassendiste [1] ?

CYRANO

Joyeux pour une femme, et pour un homme, triste !

*Les pages disparaissent, un à chaque coin
de rue. – A Christian.*

Appelle-la !

CHRISTIAN

Roxane !

CYRANO, *ramassant des cailloux qu'il jette dans les vitres.*

Attends ! Quelques cailloux.

1. Disciple de Gassendi.

167

SCÈNE VII

ROXANE, CHRISTIAN, CYRANO, d'abord caché sous le balcon.

ROXANE, *entrouvrant sa fenêtre.*

Qui donc m'appelle ?

CHRISTIAN

Moi.

ROXANE

Qui, moi ?

CHRISTIAN

Christian.

ROXANE, *avec dédain.*

C'est vous ?

CHRISTIAN

Je voudrais vous parler.

CYRANO, *sous le balcon, à Christian.*

Bien. Bien. Presque à voix basse.

ROXANE

Non ! Vous parlez trop mal. Allez-vous-en !

CHRISTIAN

De grâce !...

ROXANE

Non ! Vous ne m'aimez plus !

CHRISTIAN, *à qui Cyrano souffle ses mots.*

M'accuser, – justes dieux !
De n'aimer plus... quand... j'aime plus !

ROXANE, *qui allait refermer sa fenêtre, s'arrêtant.*

> Tiens, mais c'est
> [mieux !

CHRISTIAN, *même jeu.*

L'amour grandit bercé dans mon âme inquiète...
Que ce... cruel marmot [1] prit pour... barcelonnette [2] !

ROXANE, *s'avançant sur le balcon.*

C'est mieux ! – Mais, puisqu'il est cruel, vous fûtes sot
De ne pas, cet amour, l'étouffer au berceau !

CHRISTIAN, *même jeu.*

Aussi l'ai-je tenté, mais... tentative nulle :
Ce... nouveau-né, Madame, est un petit... Hercule.

ROXANE

C'est mieux !

CHRISTIAN, *même jeu.*

> De sorte qu'il... strangula comme rien...
Les deux serpents... Orgueil et... Doute.

ROXANE, *s'accoudant au balcon.*

> Ah ! c'est très bien.
– Mais pourquoi parlez-vous de façon peu hâtive ?
Auriez-vous donc la goutte à l'imaginative ?

CYRANO, *tirant Christian sous le balcon
et se glissant à sa place.*

Chut ! Cela devient trop difficile !...

ROXANE

> Aujourd'hui...

Vos mots sont hésitants. Pourquoi ?

1. Cupidon, dieu de l'amour, représenté sous les traits d'un chérubin dans l'Antiquité romaine.
2. Ou bercelonnette : petit berceau en osier.

CYRANO, *parlant à mi-voix, comme Christian.*

C'est qu'il fait nuit,
Dans cette ombre, à tâtons, ils cherchent votre oreille.

ROXANE

Les miens n'éprouvent pas difficulté pareille.

CYRANO

Ils trouvent tout de suite ? Oh ! cela va de soi,
Puisque c'est dans mon cœur, eux, que je les reçois ;
Or, moi, j'ai le cœur grand, vous, l'oreille petite.
D'ailleurs vos mots à vous descendent : ils vont vite,
Les miens montent, Madame : il leur faut plus de temps !

ROXANE

Mais ils montent bien mieux depuis quelques instants.

CYRANO

De cette gymnastique, ils ont pris l'habitude !

ROXANE

Je vous parle, en effet, d'une vraie altitude !

CYRANO

Certes, et vous me tueriez si de cette hauteur
Vous me laissiez tomber un mot dur sur le cœur !

ROXANE, *avec un mouvement.*

Je descends !

CYRANO, *vivement.*

Non !

ROXANE, *lui montrant le banc qui est sous le balcon.*

Grimpez sur le banc, alors, vite !

CYRANO, *reculant avec effroi dans la nuit.*

Non !

ROXANE

Comment... non ?

CYRANO, *que l'émotion gagne de plus en plus.*

Laissez un peu que l'on profite...
De cette occasion qui s'offre... de pouvoir
Se parler doucement, sans se voir.

ROXANE

Sans se voir ?

CYRANO

Mais oui, c'est adorable. On se devine à peine.
Vous voyez la noirceur d'un long manteau qui traîne,
J'aperçois la blancheur d'une robe d'été :
Moi je ne suis qu'une ombre, et vous qu'une clarté !
Vous ignorez pour moi ce que sont ces minutes !
Si quelquefois je fus éloquent...

ROXANE

Vous le fûtes !

CYRANO

Mon langage jamais jusqu'ici n'est sorti
De mon vrai cœur...

ROXANE

Pourquoi ?

CYRANO

Parce que... jusqu'ici
Je parlais à travers...

ROXANE

Quoi ?

CYRANO

... le vertige où tremble
Quiconque est sous vos yeux !... Mais, ce soir, il me
[semble...
Que je vais vous parler pour la première fois !

ROXANE

C'est vrai que vous avez une tout autre voix.

CYRANO, *se rapprochant avec fièvre.*

Oui, tout autre, car dans la nuit qui me protège
J'ose être enfin moi-même, et j'ose...

Il s'arrête et, avec égarement.

Où en étais-je ?
Je ne sais... tout ceci, – pardonnez mon émoi, –
C'est si délicieux... c'est si nouveau pour moi !

ROXANE

Si nouveau ?

CYRANO, *bouleversé, et essayant toujours*
de rattraper ses mots.

Si nouveau... mais oui... d'être sincère :
La peur d'être raillé, toujours au cœur me serre...

ROXANE

Raillé de quoi ?

CYRANO

Mais de... d'un élan !... Oui, mon cœur
Toujours, de mon esprit s'habille, par pudeur :
Je pars pour décrocher l'étoile, et je m'arrête
Par peur du ridicule, à cueillir la fleurette !

ROXANE

La fleurette a du bon.

CYRANO

Ce soir, dédaignons-la !

ROXANE

Vous ne m'aviez jamais parlé comme cela !

CYRANO

Ah ! si, loin des carquois, des torches et des flèches,
On se sauvait un peu vers des choses... plus fraîches !
Au lieu de boire goutte à goutte, en un mignon
Dé à coudre d'or fin, l'eau fade du Lignon [1],

1. Rivière du Massif central dont Honoré d'Urfé se servit comme décor dans son roman, *L'Astrée.*

Si l'on tentait de voir comment l'âme s'abreuve
En buvant largement à même le grand fleuve !

Mais l'esprit ?...

         J'en ai fait pour vous faire rester
D'abord, mais maintenant ce serait insulter
Cette nuit, ces parfums, cette heure, la Nature,
Que de parler comme un billet doux de Voiture [1] !
– Laissons, d'un seul regard de ses astres, le ciel
Nous désarmer de tout notre artificiel :
Je crains tant que parmi notre alchimie exquise
Le vrai du sentiment ne se volatilise,
Que l'âme ne se vide à ces passe-temps vains,
Et que le fin du fin ne soit la fin des fins !

Mais l'esprit ?...

         Je le hais, dans l'amour ! C'est un crime
Lorsqu'on aime de trop prolonger cette escrime !
Le moment vient d'ailleurs inévitablement,
– Et je plains ceux pour qui ne vient pas ce moment !
Où nous sentons qu'en nous une amour noble existe
Que chaque joli mot que nous disons rend triste !

Et bien ! si ce moment est venu pour nous deux,
Quels mots me direz-vous ?

               Tous ceux, tous ceux, tous ceux
Qui me viendront, je vais vous les jeter, en touffe,

---

1. Fils d'un négociant en vins (1597-1648), il parvint néanmoins à se faire accepter dans les cercles de l'aristocratie parisienne et devint l'un des auteurs à la mode au temps de la littérature précieuse. Son « Sonnet d'Uranie », qui l'opposa à Benserade, fit sensation à l'époque.

Sans les mettre en bouquets ; je vous aime, j'étouffe,
Je t'aime, je suis fou, je n'en peux plus, c'est trop ;
Ton nom est dans mon cœur comme dans un grelot,
Et comme tout le temps, Roxane, je frissonne,
Tout le temps, le grelot s'agite, et le nom sonne !
De toi, je me souviens de tout, j'ai tout aimé :
Je sais que l'an dernier, un jour, le douze mai,
Pour sortir le matin tu changeas de coiffure !
J'ai tellement pris pour clarté ta chevelure
Que, comme lorsqu'on a trop fixé le soleil,
On voit sur toute chose ensuite un rond vermeil,
Sur tout, quand j'ai quitté les feux dont tu m'inondes,
Mon regard ébloui pose des taches blondes !

ROXANE, *d'une voix troublée.*

Oui, c'est bien de l'amour...

CYRANO

                    Certes, ce sentiment
Qui m'envahit, terrible et jaloux, c'est vraiment
De l'amour, il en a toute la fureur triste !
De l'amour, – et pourtant il n'est pas égoïste !
Ah ! que pour ton bonheur je donnerais le mien,
Quand même tu devrais n'en savoir jamais rien,
S'il se pouvait, parfois, que de loin, j'entendisse
Rire un peu le bonheur né de mon sacrifice !
– Chaque regard de toi suscite une vertu
Nouvelle, une vaillance en moi ! Commences-tu
A comprendre, à présent ? voyons, te rends-tu compte ?
Sens-tu mon âme, un peu, dans cette ombre, qui monte ?...
Oh ! mais vraiment, ce soir, c'est trop beau, c'est trop

[doux !

Je vous dis tout cela, vous m'écoutez, moi, vous !
C'est trop ! Dans mon espoir même le moins modeste,
Je n'ai jamais espéré tant ! Il ne me reste
Qu'à mourir maintenant ! C'est à cause des mots
Que je dis qu'elle tremble entre les bleus rameaux !
Car vous tremblez, comme une feuille entre les feuilles !
Car tu trembles ! car j'ai senti, que tu le veuilles

Ou non, le tremblement adoré de ta main
Descendre tout le long des branches du jasmin !

Il baise éperdument l'extrémité d'une
branche pendante.

ROXANE

Oui, je tremble, et je pleure, et je t'aime, et suis tienne !
Et tu m'as enivrée !

CYRANO

Alors, que la mort vienne !
Cette ivresse, c'est moi, moi, qui l'ai su causer !
Je ne demande plus qu'une chose...

CHRISTIAN, *sous le balcon.*

Un baiser !

ROXANE, *se rejetant en arrière.*

Hein ?

CYRANO

Oh !

ROXANE

Vous demandez ?

CYRANO

Oui... je...

A Christian, bas.

Tu vas trop vite.

CHRISTIAN

Puisqu'elle est si troublée, il faut que j'en profite !

CYRANO, *à Roxane.*

Oui, je... j'ai demandé, c'est vrai... mais justes cieux !
Je comprends que je fus bien trop audacieux.

176

ROXANE, *un peu déçue.*

Vous n'insistez pas plus que cela ?

CYRANO

Si ! j'insiste...
Sans insister !... Oui, oui ! votre pudeur s'attriste !
Et bien ! mais, ce baiser... ne me l'accordez pas !

CHRISTIAN, *à Cyrano, le tirant par son manteau.*

Pourquoi ?

CYRANO

Tais-toi, Christian !

ROXANE, *se penchant.*

Que dites-vous tout bas ?

CYRANO

Mais d'être allé trop loin, moi-même je me gronde ;
Je me disais : tais-toi, Christian !...

Les théorbes se mettent à jouer.

Une seconde !...

On vient !

*Roxane referme la fenêtre. Cyrano écoute
les théorbes, dont l'un joue un air folâtre et
l'autre un air lugubre.*

Air triste ? Air gai ?... Quel est donc leur dessein ?
Est-ce un homme ? Une femme ? – Ah ! c'est un capucin !

*Entre un capucin qui va de maison en
maison, une lanterne à la main, regardant
les portes.*

SCÈNE VIII

CYRANO, CHRISTIAN, un Capucin.

CYRANO, *au capucin.*

Quel est ce jeu renouvelé de Diogène ?

LE CAPUCIN

Je cherche la maison de madame...

CHRISTIAN

Il nous gêne !

LE CAPUCIN

Magdeleine Robin...

CHRISTIAN

Que veut-il ?

CYRANO, *lui montrant une rue montante.*

Par ici !
Tout droit, toujours tout droit...

LE CAPUCIN

Je vais pour vous ! – merci :
Dire mon chapelet jusqu'au grain majuscule.

Il sort.

CYRANO

Bonne chance ! Mes vœux suivent votre cuculle [1] !

Il redescend vers Christian.

1. Capuchon de moine.

SCÈNE IX

CYRANO, CHRISTIAN.

CHRISTIAN

Obtiens-moi ce baiser !...

CYRANO

Non !

CHRISTIAN

Tôt ou tard...

CYRANO

C'est vrai !

Il viendra, ce moment de vertige enivré
Où vos bouches iront l'une vers l'autre, à cause
De ta moustache blonde et de sa lèvre rose !

A lui-même.

J'aime mieux que ce soit à cause de...

Bruits des volets qui se rouvrent,
Christian se cache sous le balcon.

SCÈNE X

CYRANO, CHRISTIAN, ROXANE

ROXANE, *s'avançant sur le balcon.*

C'est vous ?

Nous parlions de... de... d'un...

CYRANO

Baiser. Le mot est doux !

Je ne vois pas pourquoi votre lèvre ne l'ose ;
S'il la brûle déjà, que sera-ce la chose ?
Ne vous en faites pas un épouvantement :

179

N'avez-vous pas tantôt, presque insensiblement,
Quitté le badinage et glissé sans alarmes
Du sourire au soupir, et du soupir aux larmes !
Glissez encore un peu d'insensible façon :
Des larmes au baiser il n'y a qu'un frisson !

ROXANE

Taisez-vous !

CYRANO

　　　Un baiser, mais à tout prendre, qu'est-ce ?
Un serment fait d'un peu plus près, une promesse
Plus précise, un aveu qui veut se confirmer,
Un point rose qu'on met sur l'i du verbe aimer ;
C'est un secret qui prend la bouche pour oreille,
Un instant d'infini qui fait un bruit d'abeille,
Une communion ayant un goût de fleur,
Une façon d'un peu se respirer le cœur,
Et d'un peu se goûter, au bord des lèvres, l'âme !

ROXANE

Taisez-vous !

CYRANO

　　　Un baiser, c'est si noble, Madame,
Que la reine de France, au plus heureux des lords,
En a laissé prendre un, la reine même !

ROXANE

　　　　　　　　　　Alors !

CYRANO, s'exaltant.

J'eus comme Buckingham des souffrances muettes,
J'adore comme lui la reine que vous êtes,
Comme lui je suis triste et fidèle...

ROXANE

　　　　　　　　　　Et tu es

Beau comme lui !

180

CYRANO, *à part, dégrisé.*

C'est vrai, je suis beau, j'oubliais !

ROXANE

Eh bien ! montez cueillir cette fleur sans pareille...

CYRANO, *poussant Christian vers le balcon.*

Monte !

ROXANE

Ce goût de cœur...

CYRANO

Monte !

ROXANE

Ce bruit d'abeille...

CYRANO

Monte !

CHRISTIAN, *hésitant.*

Mais il me semble, à présent, que c'est mal !

ROXANE

Cet instant d'infini !...

CYRANO, *le poussant.*

Monte donc, animal !

*Christian s'élance, et par le banc, le feuil-
lage, les piliers, atteint les balustres qu'il
enjambe.*

CHRISTIAN

Ah ! Roxane !

Il l'enlace et se penche sur ses lèvres.

CYRANO

Aïe ! au cœur, quel pincement bizarre !
– Baiser, festin d'amour dont je suis le Lazare !
Il me vient de cette ombre une miette de toi, –
Mais oui, je sens un peu mon cœur qui te reçoit,
Puisque sur cette lèvre où Roxane se leurre
Elle baise les mots que j'ai dits tout à l'heure !

On entend les théorbes.

Un air triste, un air gai : le capucin !

Il feint de courir comme s'il arrivait de loin, et d'une voix claire.
Holà !

ROXANE

Qu'est-ce ?

CYRANO

Moi. Je passais... Christian est encor là ?

CHRISTIAN, *très étonné.*

Cyrano !

ROXANE

Bonjour, cousin !

CYRANO

Bonjour, cousine !

ROXANE

Je descends !

Elle disparaît dans la maison. Au fond rentre le capucin.

CHRISTIAN, *l'apercevant.*

Oh ! encor !

Il suit Roxane.

SCÈNE XI

CYRANO, CHRISTIAN, ROXANE, le Capucin,
RAGUENEAU.

LE CAPUCIN

C'est ici, – je m'obstine –

Magdeleine Robin !

CYRANO

Vous aviez dit : Ro-*lin*.

LE CAPUCIN

Non : *Bin*. B, i, n, *bin* !

ROXANE, *paraissant sur le seuil de la maison, suivie
de Ragueneau, qui porte une lanterne, et de Christian.*

Qu'est-ce ?

LE CAPUCIN

Une lettre.

CHRISTIAN

Hein ?

LE CAPUCIN, *à Roxane.*

Oh ! il ne peut s'agir que d'une sainte chose !
C'est un digne seigneur qui...

ROXANE, *à Christian.*

C'est de Guiche !

CHRISTIAN

Il ose ?

ROXANE

Oh ! mais il ne va pas m'importuner toujours !

Décachetant la lettre.

Je t'aime, et si...

183

A la lueur de la lanterne de Ragueneau,
elle lit, à l'écart, à voix basse.

« *Mademoiselle,*
                              Les tambours
Battent ; mon régiment boucle sa soubreveste [1] *;*
Il part ; moi, l'on me croit déjà parti : je reste.
Je vous désobéis. Je suis dans ce couvent.
Je vais venir, et vous le mande auparavant
Par un religieux simple comme une chèvre
Qui ne peut rien comprendre à ceci. Votre lèvre
M'a trop souri tantôt : j'ai voulu la revoir.
L'audacieux déjà pardonné, je l'espère,
Qui signe votre très... et cœtera... »

                                             Au capucin.

                              Mon père,
Voici ce que me dit cette lettre. Écoutez.

                    Tous se rapprochent, elle lit à haute voix.
« *Mademoiselle,*
                              Il faut souscrire aux volontés
Du Cardinal, si dur que cela vous puisse être.
C'est la raison pourquoi j'ai fait choix, pour remettre
Ces lignes en vos mains charmantes, d'un très saint,
D'un très intelligent et discret capucin ;
Nous voulons qu'il vous donne, et dans votre demeure,
La bénédiction

                                        Elle tourne la page.

                    nuptiale sur l'heure.
Christian doit en secret devenir votre époux ;
Je vous l'envoie. Il vous déplaît. Résignez-vous.
Songez bien que le Ciel bénira votre zèle,
Et tenez pour tout assuré, Mademoiselle,
Le respect de celui qui fut et qui sera
Toujours votre très humble et très... et cœtera. »

---

1. Vêtement sans manches que les militaires portaient par-dessus leurs autres vêtements.

LE CAPUCIN, *rayonnant.*

Digne seigneur !... Je l'avais dit. J'étais sans crainte !
Il ne pouvait s'agir que d'une chose sainte !

ROXANE, *bas à Christian.*

N'est-ce pas que je lis très bien les lettres ?

CHRISTIAN

Hum !

ROXANE, *haut, avec désespoir.*

Ah !... c'est affreux !

LE CAPUCIN, *qui a dirigé sur Cyrano la clarté
de sa lanterne.*

C'est vous ?

CHRISTIAN

C'est moi !

LE CAPUCIN, *tournant la lumière vers lui, et,
comme si un doute lui venait, en voyant sa beauté.*

Mais...

ROXANE, *vivement.*

Post-scriptum :
« Donnez pour le couvent cent vingt pistoles. »

LE CAPUCIN

Digne,

Digne seigneur !

A Roxane.

Résignez-vous !

ROXANE, *en martyre.*

Je me résigne !

185

Pendant que Ragueneau ouvre la porte au capucin que Christian invite à entrer, elle dit bas à Cyrano :

Vous, retenez ici de Guiche ! Il va venir !
Qu'il n'entre pas tant que...

CYRANO

Compris !

Au capucin.

Pour les bénir

Il vous faut ?...

LE CAPUCIN

Un quart d'heure.

CYRANO, *les poussant tous vers la maison.*

Allez ! moi, je demeure !

ROXANE, *à Christian.*

Viens !

Ils entrent.

SCÈNE XII

CYRANO, seul.

CYRANO

Comment faire perdre à de Guiche un quart
[d'heure ?

Il se précipite sur le banc, grimpe au mur, vers le balcon.

Là !... Grimpons !... J'ai mon plan !...

Les théorbes se mettent à jouer une phrase lugubre.

Ho ! c'est un homme !

Le trémolo devient sinistre.

Ho ! ho !

Cette fois, c'en est un !

*Il est sur le balcon, il rabaisse son feutre
sur ses yeux, ôte son épée, se drape dans sa
cape, puis se penche et regarde au-dehors.*

Non, ce n'est pas trop haut !...

*Il enjambe les balustres et, attirant à lui
la longue branche d'un des arbres qui
débordent le mur du jardin, il s'y accroche
des deux mains, prêt à se laisser tomber.*

Je vais légèrement troubler cette atmosphère !...

SCÈNE XIII

CYRANO, DE GUICHE.

DE GUICHE, *qui entre, masqué, tâtonnant dans la
nuit.*

Qu'est-ce que ce maudit capucin peut bien faire ?

CYRANO

Diable ! et ma voix ?... S'il la reconnaissait ?

*Lâchant d'une main, il a l'air de tourner
une invisible clef.*

Cric ! Crac

Solennellement.

Cyrano, reprenez l'accent de Bergerac !...

DE GUICHE, *regardant la maison.*

Oui, c'est là. J'y vois mal. Ce masque m'importune !

*Il va pour entrer. Cyrano saute du balcon
en se tenant à la branche, qui plie, et le*

> *dépose entre la porte et de Guiche ; il feint*
> *de tomber lourdement, comme si c'était de*
> *très haut, et s'aplatit par terre, où il reste*
> *immobile, comme étourdi. De Guiche fait*
> *un bond en arrière.*

Hein ? quoi ?

> *Quand il lève les yeux, la branche s'est*
> *redressée ; il ne voit que le ciel ; il ne*
> *comprend pas.*

D'où tombe donc cet homme ?

CYRANO, *se mettant sur son séant, et avec l'accent*
de Gascogne.

De la lune !

DE GUICHE

De là ?...

CYRANO, *d'une voix de rêve.*

Quelle heure est-il ?

DE GUICHE

N'a-t-il plus sa raison ?

CYRANO

Quelle heure ? Quel pays ? Quel jour ? Quelle saison ?

DE GUICHE

Mais...

CYRANO

Je suis étourdi !

DE GUICHE

Monsieur...

CYRANO

Comme une bombe

Je tombe de la lune !

188

DE GUICHE, *impatienté.*

Ah çà ! Monsieur !

CYRANO, *se relevant, d'une voix terrible.*

J'en tombe !

DE GUICHE, *reculant.*

Soit ! soit ! vous en tombez !... c'est peut-être un dément !

CYRANO, *marchant sur lui.*

Et je n'en tombe pas métaphoriquement !...

DE GUICHE

Mais...

CYRANO

Il y a cent ans, ou bien une minute,
– J'ignore tout à fait ce que dura ma chute ! –
J'étais dans cette boule à couleur de safran !

DE GUICHE, *haussant les épaules.*

Oui. Laissez-moi passer !

CYRANO, *s'interposant.*

Où suis-je ? soyez franc !
Ne me déguisez rien ! En quel lieu, dans quel site,
Viens-je de choir, Monsieur, comme un aérolithe ?

DE GUICHE

Morbleu !...

CYRANO

Tout en cheyant [1] je n'ai pu faire choix
De mon point d'arrivée, – et j'ignore où je chois !
Est-ce dans une lune ou bien dans une terre,
Que vient de m'entraîner le poids de mon postère ?

DE GUICHE

Mais je vous dis, Monsieur...

CYRANO, *avec un cri de terreur qui fait reculer de Guiche.*

Ha ! grand Dieu !... je crois voir

Qu'on a dans ce pays le visage tout noir !

1. Participe présent du verbe choir (tomber).

DE GUICHE, *portant la main à son visage.*

Comment ?

CYRANO, *avec une peur emphatique.*

Suis-je en Alger ? Êtes-vous indigène ?...

DE GUICHE, *qui a senti son masque.*

Ce masque !...

CYRANO, *feignant de se rassurer un peu.*

Je suis donc dans Venise, ou dans Gênes ?

DE GUICHE, *voulant passer.*

Une dame m'attend !...

CYRANO, *complètement rassuré.*

Je suis donc à Paris.

DE GUICHE, *souriant malgré lui.*

Le drôle est assez drôle.

CYRANO

Ah, vous riez ?

DE GUICHE

Je ris,

Mais veux passer !

CYRANO, *rayonnant.*

C'est à Paris que je retombe !

Tout à fait à son aise, riant, s'époussetant, saluant.

J'arrive – excusez-moi – par la dernière trombe.
Je suis un peu couvert d'éther. J'ai voyagé !
J'ai les yeux tout remplis de poudre d'astres. J'ai
Aux éperons, encor, quelques poils de planète !

Cueillant quelque chose sur sa manche.

Tenez, sur mon pourpoint, un cheveu de comète !...

Il souffle comme pour le faire envoler.

DE GUICHE, *hors de lui.*

Monsieur !...

CYRANO, *au moment où il va passer, tend sa jambe
comme pour y montrer quelque chose et l'arrête.*

Dans mon mollet je rapporte une dent
De la Grande Ourse, – et comme, en frôlant le Trident,
Je voulais éviter une de ses trois lances,
Je suis allé tomber assis dans les Balances, –
Dont l'aiguille, à présent, là-haut, marque mon poids !

*Empêchant vivement de Guiche de passer
et le prenant à un bouton du pourpoint.*

Si vous serriez mon nez, Monsieur, entre vos doigts,
Il jaillirait du lait !

DE GUICHE

Hein ? du lait ?...

CYRANO

De la Voie

Lactée !...

DE GUICHE

Oh ! par l'enfer !

CYRANO

C'est le ciel qui m'envoie !

Se croisant les bras.

Non ! croiriez-vous, je viens de le voir en tombant,
Que Sirius, la nuit, s'affuble d'un turban ?

Confidentiel.

L'autre Ourse est trop petite encor pour qu'elle morde !

Riant.

J'ai traversé la Lyre en cassant une corde !

Mais je compte en un livre écrire tout ceci.
Et les étoiles d'or qu'en mon manteau roussi
Je viens de rapporter à mes périls et risques,
Quand on l'imprimera, serviront d'astérisques !

DE GUICHE

A la parfin [1], je veux...

CYRANO

Vous, je vous vois venir !

DE GUICHE

Monsieur !

CYRANO

Vous voudriez de ma bouche tenir
Comment la lune est faite, et si quelqu'un habite
Dans la rotondité de cette cucurbite ?

DE GUICHE, *criant.*

Mais non ! Je veux...

CYRANO

Savoir comment j'y suis monté.
Ce fut par un moyen que j'avais inventé.

DE GUICHE, *découragé.*

C'est un fou !

CYRANO, *dédaigneux.*

Je n'ai pas refait l'aigle stupide
De Regiomontanus [2], ni le pigeon timide
D'Archytas [3] !...

1. Ancienne forme du mot fin.
2. Surnom de Johann Müller (1436-1476) ; mathématicien et astronome allemand, il construisit un aigle mécanique qui vola à la rencontre de l'empereur Maximilien Ier lors de son entrée à Nuremberg.
3. Savant et homme d'État grec (430-360 av. J.-C.) qui établit la terminologie de la géométrie. Il fabriqua une colombe de bois qui pouvait voler.

C'est un fou, – mais c'est un fou savant.

CYRANO

Non, je n'imitai rien de ce qu'on fit avant !

> *De Guiche a réussi à passer et il marche*
> *vers la porte de Roxane. Cyrano le suit, prêt*
> *à l'empoigner.*

J'inventai six moyens de violer l'azur vierge !

DE GUICHE, *se retournant.*

Six ?

CYRANO, *avec volubilité.*

Je pouvais, mettant mon corps nu comme un cierge,
Le caparaçonner de fioles de cristal
Toutes pleines des pleurs d'un ciel matutinal [1],
Et ma personne, alors, au soleil exposée,
L'astre l'aurait humée en humant la rosée !

DE GUICHE, *surpris et faisant un pas vers Cyrano.*

Tiens ! Oui, cela fait un !

CYRANO, *reculant pour l'entraîner de l'autre côté.*

Et je pouvais encor
Faire engouffrer du vent, pour prendre mon essor,
En raréfiant l'air dans mon coffre de cèdre
Par des miroirs ardents, mis en icosaèdre [2] !

DE GUICHE, *fait encore un pas.*

Deux !

CYRANO, *reculant toujours.*

Ou bien, machiniste autant qu'artificier,
Sur une sauterelle aux détentes d'acier,

---

1. Forme poétique de matinal.
2. Polyèdre à vingt faces.

Me faire, par des feux successifs de salpêtre,
Lancer dans les prés bleus où les astres vont paître !

DE GUICHE, *le suivant, sans s'en douter, et comptant*
sur ses doigts.

Trois !

CYRANO

Puisque la fumée a tendance à monter,
En souffler dans un globe assez pour m'emporter !

DE GUICHE, *même jeu, de plus en plus étonné.*

Quatre !

CYRANO

Puisque Phoebé, quand son acte est le moindre,
Aime sucer, ô bœufs, votre moelle... m'en oindre !

DE GUICHE, *stupéfait.*

Cinq !

CYRANO, *qui en parlant l'a amené jusqu'à l'autre côté*
de la place, près d'un banc.

Enfin, me plaçant sur un plateau de fer,
Prendre un morceau d'aimant et le lancer en l'air !
Ça, c'est un bon moyen : le fer se précipite,
Aussitôt que l'aimant s'envole, à sa poursuite ;
On relance l'aimant bien vite, et cadédis [1] !
On peut monter ainsi indéfiniment.

DE GUICHE

Six !
– Mais voilà six moyens excellents !... Quel système
Choisîtes-vous des six, Monsieur ?

CYRANO

Un septième !

1. Juron gascon qui vient de cap-de-dious, littéralement : « tête de
Dieu ».

Par exemple ! Et lequel ?

CYRANO

Je vous le donne en cent !

DE GUICHE

C'est que ce mâtin-là devient intéressant !

CYRANO, *faisant le bruit des vagues avec de grands gestes mystérieux.*

Houüh, houüh !

DE GUICHE

Eh bien !

CYRANO

Vous devinez ?

DE GUICHE

Non !

CYRANO

La marée !...
A l'heure où l'onde par la lune est attirée,
Je me mis sur le sable – après un bain de mer –
Et la tête partant la première, mon cher,
– Car les cheveux, surtout, gardent l'eau dans leur frange ! –
Je m'enlevai dans l'air, droit, tout droit, comme un ange.
Je montais, je montais, doucement, sans efforts,
Quand je sentis un choc !... Alors...

DE GUICHE, *entraîné par la curiosité et s'asseyant sur le banc.*

Alors ?

CYRANO

Alors...

Reprenant sa voix naturelle.

Le quart d'heure est passé, Monsieur, je vous délivre :
Le mariage est fait.

DE GUICHE, *se relevant d'un bond.*

Çà, voyons, je suis ivre !...

Cette voix ?

La porte de la maison s'ouvre, des laquais paraissent portant des candélabres allumés. Lumière. Cyrano ôte son chapeau au bord abaissé.

Et ce nez !... Cyrano ?

CYRANO, *saluant.*

Cyrano.

– Ils viennent à l'instant d'échanger leur anneau.

DE GUICHE

Qui cela ?

Il se retourne. – Tableau. Derrière les laquais, Roxane et Christian se tiennent par la main. Le capucin les suit en souriant. Ragueneau élève aussi un flambeau. La duègne ferme la marche, ahurie, en petit saut-de-lit [1].

Ciel !

SCÈNE XIV

Les Mêmes, ROXANE, CHRISTIAN, le Capucin, RAGUENEAU, Laquais, la Duègne.

DE GUICHE, *à Roxane.*

Vous !

Reconnaissant Christian avec stupeur.

Lui ?

Saluant Roxane avec admiration.

Vous êtes des plus fines !

1. Peignoir long que l'on met, comme son nom l'indique, au saut du lit.

Mes compliments, Monsieur l'inventeur des machines :
Votre récit eût fait s'arrêter au portail
Du paradis, un saint ! Notez-en le détail,
Car vraiment cela peut resservir dans un livre !

CYRANO, *s'inclinant.*

Monsieur, c'est un conseil que je m'engage à suivre.

LE CAPUCIN, *montrant les amants à de Guiche et
hochant avec satisfaction sa grande barbe blanche.*

Un beau couple, mon fils, réuni là par vous !

DE GUICHE, *le regardant d'un œil glacé.*

Oui.

A Roxane.

Veuillez dire adieu, Madame, à votre époux.

ROXANE

Comment ?

DE GUICHE, *à Christian.*

Le régiment déjà se met en route.
Joignez-le !

ROXANE

Pour aller à la guerre ?

DE GUICHE

Sans doute.

ROXANE

Mais, Monsieur, les cadets n'y vont pas !

DE GUICHE

Ils iront.

> *Tirant le papier qu'il avait mis dans sa poche.*

Voici l'ordre.

> *A Christian.*

> Courez le porter, vous, baron.

> ROXANE, *se jetant dans les bras de Christian.*

Christian !

> DE GUICHE, *ricanant, à Cyrano.*

> La nuit de noce est encore lointaine !

> CYRANO, *à part.*

Dire qu'il croit me faire énormément de peine !

> CHRISTIAN, *à Roxane.*

Oh ! tes lèvres encor !

> CYRANO

> Allons, voyons, assez !

> CHRISTIAN, *continuant à embrasser Roxane.*

C'est dur de la quitter... Tu ne sais pas...

> CYRANO, *cherchant à l'entraîner.*

> Je sais.

> *On entend au loin des tambours qui battent une marche.*

> DE GUICHE, *qui est remonté au fond.*

Le régiment qui part !

> ROXANE, *à Cyrano, en retenant Christian qu'il essaye toujours d'entraîner.*

> Oh !... je vous le confie !
Promettez-moi que rien ne va mettre sa vie
En danger !

CYRANO

J'essaierai... mais ne peux cependant
Promettre...

ROXANE, *même jeu.*

Promettez qu'il sera très prudent !

CYRANO

Oui, je tâcherai, mais...

ROXANE, *même jeu.*

Qu'à ce siège terrible
Il n'aura jamais froid !

CYRANO

Je ferai mon possible.
Mais...

ROXANE, *même jeu.*

Qu'il sera fidèle !

CYRANO

Eh oui ! sans doute, mais...

ROXANE, *même jeu.*

Qu'il m'écrira souvent !

CYRANO, *s'arrêtant.*

Ça, – je vous le promets !

RIDEAU

Quatrième acte

Les cadets de Gascogne

Le poste qu'occupe la compagnie de Carbon de Castel-Jaloux au siège d'Arras.

Au fond, talus traversant toute la scène. Au-delà s'aperçoit un horizon de plaine : le pays couvert de travaux de siège. Les murs d'Arras et la silhouette de ses toits sur le ciel, très loin.

Tentes ; armes éparses ; tambours, etc. – Le jour va se lever. Jaune Orient. – Sentinelles espacées. Feux.

Roulés dans leurs manteaux, les cadets de Gascogne dorment. Carbon de Castel-Jaloux et Le Bret veillent. Ils sont très pâles et très maigris. Christian dort, parmi les autres, dans sa cape, au premier plan, le visage éclairé par un feu. Silence.

SCÈNE PREMIÈRE

CHRISTIAN, CARBON DE CASTEL-JALOUX, LE BRET, les Cadets,
puis CYRANO.

LE BRET

C'est affreux !

CARBON

Oui, plus rien.

LE BRET

Mordious !

CARBON, *lui faisant signe de parler plus bas.*

Jure en sourdine !
Tu vas les réveiller.

Aux cadets.

Chut ! Dormez !

A Le Bret.

Qui dort dîne !

LE BRET

Quand on a l'insomnie on trouve que c'est peu !
Quelle famine !

On entend au loin quelques coups de feu.

CARBON

Ah ! maugrébis [1] des coups de feu !...
Ils vont me réveiller mes enfants !

Aux cadets qui lèvent la tête.

Dormez !

On se recouche. Nouveaux coups de feu plus rapprochés.

UN CADET, *s'agitant.*

Diantre !
Encore ?

CARBON

Ce n'est rien ! C'est Cyrano qui rentre !

Les têtes qui s'étaient relevées se recouchent.

---

1. Altération de maugrébleu, juron qui signifie littéralement « malgré Dieu ».

UNE SENTINELLE, *au-dehors.*

Ventrebieu ! qui va là ?

LA VOIX DE CYRANO

Bergerac !

LA SENTINELLE, *qui est sur le talus.*

Ventrebieu !...

Qui va là ?

CYRANO, *paraissant sur la crête.*

Bergerac, imbécile !

> *Il descend. Le Bret va au-devant de lui,*
> *inquiet.*

LE BRET

Ah ! grand Dieu !

CYRANO, *lui faisant signe de ne réveiller personne.*

Chut !

LE BRET

Blessé ?

CYRANO

Tu sais bien qu'ils ont pris l'habitude
De me manquer tous les matins !

LE BRET

C'est un peu rude,
Pour porter une lettre, à chaque jour levant,
De risquer !

CYRANO, *s'arrêtant devant Christian.*

J'ai promis qu'il écrirait souvent !

Il le regarde.

Il dort. Il est pâli. Si la pauvre petite
Savait qu'il meurt de faim... Mais toujours beau !

Va vite

Dormir !

CYRANO

Ne grogne pas, Le Bret !... Sache ceci :
Pour traverser les rangs espagnols, j'ai choisi
Un endroit où je sais, chaque nuit, qu'ils sont ivres.

LE BRET

Tu devrais bien un jour nous rapporter des vivres.

CYRANO

Il faut être léger pour passer ! – Mais je sais
Qu'il y aura ce soir du nouveau. Les Français
Mangeront ou mourront, – si j'ai bien vu...

LE BRET

Raconte !

CYRANO

Non. Je ne suis pas sûr... vous verrez !

CARBON

Quelle honte,
Lorsqu'on est assiégeant, d'être affamé !

LE BRET

Hélas !
Rien de plus compliqué que ce siège d'Arras :
Nous assiégeons Arras, – nous-mêmes, pris au piège,
Le cardinal infant d'Espagne nous assiège...

CYRANO

Quelqu'un devrait venir l'assiéger à son tour.

LE BRET

Je ne ris pas.

Oh ! oh !

LE BRET

Penser que chaque jour
Vous risquez une vie, ingrat, comme la vôtre,
Pour porter...

Le voyant qui se dirige vers une tente.

Où vas-tu ?

CYRANO

J'en vais écrire une autre.

Il soulève la toile et disparaît.

SCÈNE II

Les Mêmes, moins CYRANO.

*Le jour s'est un peu levé. Lueurs roses. La
ville d'Arras se dore à l'horizon. On entend
un coup de canon immédiatement suivi
d'une batterie de tambours, très au loin,
vers la gauche. D'autres tambours battent
plus près. Les batteries vont se répondant, et
se rapprochant, éclatent presque en scène et
s'éloignent vers la droite, parcourant le
camp. Rumeurs de réveil. Voix lointaines
d'officiers.*

CARBON, *avec un soupir.*

La diane [1] !... Hélas !

*Les cadets s'agitent dans leurs manteaux,
s'étirent.*

1. Batterie de tambours pour réveiller les soldats.

Sommeil succulent, tu prends fin !...
Je sais trop quel sera leur premier cri !

UN CADET, *se mettant sur son séant.*

J'ai faim !

UN AUTRE

Je meurs !

TOUS

Oh !

CARBON

Levez-vous !

TROISIÈME CADET

Plus un pas !

QUATRIÈME CADET

Plus un geste !

LE PREMIER, *se regardant dans un morceau de cuirasse.*

Ma langue est jaune : l'air du temps est indigeste !

UN AUTRE

Mon tortil de baron pour un peu de chester !

UN AUTRE

Moi, si l'on ne veut pas fournir à mon gaster [1]
De quoi m'élaborer une pinte de chyle [2],
Je me retire sous ma tente, – comme Achille !

UN AUTRE

Oui, du pain !

1. Estomac. C'est la transcription en français du mot grec à partir
duquel ont été formés les termes gastéropode, gastronomie, etc.
2. Liquide formé dans l'intestin par les aliments digérés.

CARBON, *allant à la tente où est entré Cyrano, à mi-voix.*

Cyrano !

D'AUTRES

Nous mourons !

CARBON, *toujours à mi-voix, à la porte de la tente.*

Au secours !
Toi qui sais si gaiement leur répliquer toujours,
Viens les ragaillardir !

DEUXIÈME CADET, *se précipitant vers le premier
qui mâchonne quelque chose.*

Qu'est-ce que tu grignotes ?

LE PREMIER

De l'étoupe à canon que dans les bourguignotes [1]
On fait frire en la graisse à graisser les moyeux.
Les environs d'Arras sont très peu giboyeux !

UN AUTRE, *entrant.*

Moi je viens de chasser !

UN AUTRE, *même jeu.*

J'ai pêché, dans la Scarpe [2] !

TOUS, *debout, se ruant sur les deux nouveaux venus.*

Quoi ? – Que rapportez-vous ? – Un faisan ? – Une
[carpe ? –
Vite, vite, montrez !

LE PÊCHEUR

Un goujon !

LE CHASSEUR

Un moineau !

_____
1. Casques légers que portaient jadis les militaires.
2. Affluent de l'Escaut, qui passe à Arras et à Douai.

TOUS, *exaspérés.*

Assez ! – Révoltons-nous !

CARBON

Au secours, Cyrano !

Il fait maintenant tout à fait jour.

SCÈNE III

Les Mêmes, CYRANO.

CYRANO, *sortant de sa tente, tranquille, une plume*
à l'oreille, un livre à la main.

Hein ?

Silence. Au premier cadet.

Pourquoi t'en vas-tu, toi, de ce pas qui traîne !

LE CADET

J'ai quelque chose, dans les talons, qui me gêne !...

CYRANO

Et quoi donc ?

LE CADET

L'estomac !

CYRANO

Moi de même, pardi !

LE CADET

Cela doit te gêner !

CYRANO

Non, cela me grandit.

J'ai les dents longues !

CYRANO

Tu n'en mordras que plus large.

UN TROISIÈME

Mon ventre sonne creux !

CYRANO

Nous y battrons la charge.

UN AUTRE

Dans les oreilles, moi, j'ai des bourdonnements.

CYRANO

Non, non ; ventre affamé, pas d'oreilles : tu mens !

UN AUTRE

Oh ! manger quelque chose, – à l'huile !

CYRANO, *le décoiffant et lui mettant son casque dans la main.*

Ta salade [1].

UN AUTRE

Qu'est-ce qu'on pourrait bien dévorer ?

CYRANO, *lui jetant le livre qu'il tient à la main.*

L'*Iliade.*

UN AUTRE

Le ministre, à Paris, fait ses quatre repas !

CYRANO

Il devrait t'envoyer du perdreau ?

1. Ancien casque de soldat.

LE MÊME

Pourquoi pas ?

Et du vin !

CYRANO

Richelieu, du bourgogne, *if you please ?*

LE MÊME

Par quelque capucin !

CYRANO

L'éminence qui grise ?

UN AUTRE

J'ai des faims d'ogre !

CYRANO

Eh ! bien !... tu croques le marmot [1] !

LE PREMIER CADET, *haussant les épaules.*

Toujours le mot, la pointe !

CYRANO

Oui, la pointe, le mot !
Et je voudrais mourir, un soir, sous un ciel rose,
En faisant un bon mot, pour une belle cause !
– Oh ! frappé par la seule arme noble qui soit,
Et par un ennemi qu'on sait digne de soi,
Sur un gazon de gloire et loin d'un lit de fièvres,
Tomber la pointe au cœur en même temps qu'aux lèvres !

CRIS DE TOUS

J'ai faim !

1. Croquer le marmot : expression qui signifie « attendre longuement et en vain ».

CYRANO, *se croisant les bras.*

Ah çà ! mais vous ne pensez qu'à manger ?...
– Approche, Bertrandou le fifre, ancien berger ;
Du double étui de cuir tire l'un de tes fifres,
Souffle, et joue à ce tas de goinfres et de piffres [1]
Ces vieux airs du pays, au doux rythme obsesseur,
Dont chaque note est comme une petite sœur,
Dans lesquels restent pris des sons de voix aimées,
Ces airs dont la lenteur est celle des fumées
Que le hameau natal exhale de ses toits,
Ces airs dont la musique a l'air d'être un patois !...

> *Le vieux s'assied et prépare son fifre.*

Que la flûte, aujourd'hui, guerrière qui s'afflige,
Se souvienne un moment, pendant que sur sa tige
Tes doigts semblent danser un menuet d'oiseau,
Qu'avant d'être d'ébène, elle fut de roseau ;
Que sa chanson l'étonne, et qu'elle y reconnaisse
L'âme de sa rustique et paisible jeunesse !...

> *Le vieux commence à jouer des airs*
> *languedociens.*

Écoutez, les Gascons... Ce n'est plus, sous ses doigts,
Le fifre aigu des camps, c'est la flûte des bois !
Ce n'est plus le sifflet du combat, sous ses lèvres,
C'est le lent galoubet [2] de nos meneurs de chèvres !...
Écoutez... C'est le val, la lande, la forêt,
Le petit pâtre brun sous son rouge béret,
C'est la verte douceur des soirs sur la Dordogne,
Écoutez, les Gascons : c'est toute la Gascogne !

> *Toutes les têtes se sont inclinées ; – tous*
> *les yeux rêvent ; – et des larmes sont furtive-*
> *ment essuyées, avec un revers de manche,*
> *un coin de manteau.*

---

1. Personnages gloutons et ventrus.
2. Flûte à trois trous utilisée en Provence et dans le Languedoc.

Mais tu les fais pleurer !

CYRANO

De nostalgie !... Un mal
Plus noble que la faim !... pas physique : moral !
J'aime que leur souffrance ait changé de viscère,
Et que ce soit leur cœur, maintenant, qui se serre !

CARBON

Tu vas les affaiblir en les attendrissant !

CYRANO, *qui a fait signe au tambour d'approcher.*

Laisse donc ! Les héros qu'ils portent dans leur sang
Sont vite réveillés ! Il suffit...

Il fait un geste. Le tambour roule.

TOUS, *se levant et se précipitant sur leurs armes.*

Hein ?... Quoi ?... Qu'est-ce ?

CYRANO, *souriant.*

Tu vois, il a suffi d'un roulement de caisse !
Adieu, rêves, regrets, vieille province, amour...
Ce qui du fifre vient s'en va par le tambour !

UN CADET, *qui regarde au fond.*

Ah ! Ah ! Voici monsieur de Guiche !

TOUS LES CADETS, *murmurant.*

Hou...

CYRANO, *souriant.*

Murmure

Flatteur !

UN CADET

Il nous ennuie !

UN AUTRE

Avec, sur son armure,

Son grand col de dentelle, il vient faire le fier !

UN AUTRE

Comme si l'on portait du linge sur du fer !

LE PREMIER

C'est bon lorsque à son cou l'on a quelque furoncle !

LE DEUXIÈME

Encore un courtisan !

UN AUTRE

Le neveu de son oncle !

CARBON

C'est un Gascon pourtant !

LE PREMIER

Un faux !... Méfiez-vous !

Parce que, les Gascons... ils doivent être fous :
Rien de plus dangereux qu'un Gascon raisonnable.

LE BRET

Il est pâle !

UN AUTRE

Il a faim... autant qu'un pauvre diable !

Mais comme sa cuirasse a des clous de vermeil,
Sa crampe d'estomac étincelle au soleil !

CYRANO, vivement.

N'ayons pas l'air non plus de souffrir ! Vous, vos cartes,
Vos pipes et vos dés...

> *Tous rapidement se mettent à jouer sur
> des tambours, sur des escabeaux et par
> terre, sur leurs manteaux, et ils allument de
> longues pipes de pétun.*

Et moi, je lis Descartes.

> *Il se promène de long en large et lit dans un petit livre qu'il a tiré de sa poche. – Tableau. – De Guiche entre. Tout le monde a l'air absorbé et content. Il est très pâle. Il va vers Carbon.*

SCÈNE IV

Les Mêmes, DE GUICHE

DE GUICHE, *à Carbon.*

Ah ! – Bonjour !

> *Ils s'observent tous les deux. A part, avec satisfaction.*

Il est vert.

CARBON, *de même.*

> Il n'a plus que les yeux.

DE GUICHE, *regardant les cadets.*

Voici donc les mauvaises têtes ?... Oui, Messieurs.
Il me revient de tous côtés qu'on me brocarde
Chez vous, que les cadets, noblesse montagnarde,
Hobereaux béarnais, barons périgourdins,
N'ont pour leur colonel pas assez de dédain,
M'appellent intrigant, courtisan, – qu'il les gêne
De voir sur ma cuirasse un col au point de Gênes, –
Et qu'ils ne cessent pas de s'indigner entre eux
Qu'on puisse être gascon et ne pas être gueux !

> *Silence. On joue. On fume.*

Vous ferai-je punir par votre capitaine ?
Non.

CARBON

> D'ailleurs, je suis libre et n'inflige de peine...

215

DE GUICHE

Ah ?

CARBON

J'ai payé ma compagnie, elle est à moi.
Je n'obéis qu'aux ordres de guerre.

DE GUICHE

                    Ah ?... Ma foi !
Cela suffit.

S'adressant aux cadets.

Je peux mépriser vos bravades.
On connaît ma façon d'aller aux mousquetades [1] ;
Hier, à Bapaume, on vit la furie avec quoi
J'ai fait lâcher le pied au comte de Bucquoi ;
Ramenant sur ses gens les miens en avalanche,
J'ai chargé par trois fois !

CYRANO, *sans lever le nez de son livre.*

           Et votre écharpe blanche ?

DE GUICHE, *surpris et satisfait.*

Vous savez ce détail ?... En effet, il advint,
Durant que je faisais ma caracole afin
De rassembler mes gens pour la troisième charge,
Qu'un remous de fuyards m'entraîna sur la marge
Des ennemis ; j'étais en danger qu'on me prît
Et qu'on m'arquebusât, quand j'eus le bon esprit
De dénouer et de laisser couler à terre
L'écharpe qui disait mon grade militaire ;
En sorte que je pus, sans attirer les yeux,
Quitter les Espagnols, et revenant sur eux,
Suivi de tous les miens réconfortés, les battre !
– Eh bien ! que dites-vous de ce trait ?

Les cadets n'ont pas l'air d'écouter ; mais
ici les cartes et les cornets à dés restent en

1. Décharges de mousquet.

*l'air, la fumée des pipes demeure dans les
joues : attente.*

CYRANO

Qu'Henri quatre
N'eût jamais consenti, le nombre l'accablant,
A se diminuer de son panache blanc.

*Joie silencieuse. Les cartes s'abattent. Les
dés tombent. La fumée s'échappe.*

DE GUICHE

L'adresse a réussi, cependant !

*Même attente suspendant les jeux et les
pipes.*

CYRANO

C'est possible.
Mais on n'abdique pas l'honneur d'être une cible.

*Cartes, dés, fumées s'abattent, tombent,
s'envolent avec une satisfaction croissante.*

Si j'eusse été présent quand l'écharpe coula
– Nos courages, monsieur, diffèrent en cela –
Je l'aurais ramassée et me la serais mise.

DE GUICHE

Oui, vantardise, encor, de Gascon !

CYRANO

Vantardise ?...
Prêtez-la-moi. Je m'offre à monter, dès ce soir,
A l'assaut, le premier, avec elle en sautoir.

DE GUICHE

Offre encor de Gascon ! Vous savez que l'écharpe
Resta chez l'ennemi, sur les bords de la Scarpe,
En un lieu que depuis la mitraille cribla, –
Où nul ne peut aller la chercher !

CYRANO, *tirant de sa poche l'écharpe blanche*
et la lui tendant.

La voilà.

> *Silence. Les cadets étouffent leurs rires*
> *dans les cartes et dans les cornets à dés. De*
> *Guiche se retourne, les regarde ; immédiate-*
> *ment ils reprennent leur gravité, leurs jeux ;*
> *l'un d'eux sifflote avec indifférence l'air*
> *montagnard joué par le fifre.*

DE GUICHE, *prenant l'écharpe.*

Merci. Je vais, avec ce bout d'étoffe claire,
Pouvoir faire un signal, – que j'hésitais à faire.

> *Il va au talus, y grimpe, et agite plusieurs*
> *fois l'écharpe en l'air.*

TOUS

Hein !

LA SENTINELLE, *en haut du talus.*

Cet homme, là-bas qui se sauve en courant !...

DE GUICHE, *redescendant.*

C'est un faux espion espagnol. Il nous rend
De grands services. Les renseignements qu'il porte
Aux ennemis sont ceux que je lui donne, en sorte
Que l'on peut influer sur leurs décisions.

CYRANO

C'est un gredin !

DE GUICHE, *se nouant nonchalamment son écharpe.*

C'est très commode. Nous disions ?...
– Ah ! J'allais vous apprendre un fait. Cette nuit même,
Pour nous ravitailler tentant un coup suprême,
Le maréchal s'en fut vers Dourlens, sans tambours ;
Les vivandiers [1] du Roi sont là ; par les labours

---

1. Vivandier(ière) : personne qui accompagne une troupe de soldats
pour leur vendre des vivres qui améliorent l'ordinaire.

Il les joindra ; mais pour revenir sans encombre,
Il a pris avec lui des troupes en tel nombre
Que l'on aurait beau jeu, certes, en nous attaquant :
La moitié de l'armée est absente du camp !

CARBON

Oui, si les Espagnols savaient, ce serait grave.
Mais ils ne savent pas ce départ ?

Ils le savent.

Ils vont nous attaquer.

CARBON

Ah !

DE GUICHE

Mon faux espion
M'est venu prévenir de leur agression.
Il ajouta : « J'en peux déterminer la place ;
Sur quel point voulez-vous que l'attaque se fasse ?
Je dirai que de tous c'est le moins défendu,
Et l'effort portera sur lui. » – J'ai répondu :
« C'est bon. Sortez du camp. Suivez des yeux la ligne :
Ce sera sur le point d'où je vous ferai signe. »

CARBON, *aux cadets.*

Messieurs, préparez-vous !

*Tous se lèvent. Bruit d'épées et de ceintu-
rons qu'on boucle.*

DE GUICHE

C'est dans une heure.

PREMIER CADET

Ah !... bien !...

*Ils se rasseyent tous. On reprend la partie
interrompue.*

DE GUICHE, *à Carbon.*

Il faut gagner du temps. Le maréchal revient.

CARBON

Et pour gagner du temps ?

DE GUICHE

Vous aurez l'obligeance
De vous faire tuer.

CYRANO

Ah ! voilà la vengeance ?

DE GUICHE

Je ne prétendrai pas que, si je vous aimais
Je vous eusse choisis vous et les vôtres, mais,
Comme à votre bravoure on n'en compare aucune,
C'est mon Roi que je sers en servant ma rancune.

CYRANO, *saluant.*

Souffrez que je vous sois, monsieur, reconnaissant.

DE GUICHE, *saluant.*

Je sais que vous aimez vous battre un contre cent.
Vous ne vous plaindrez pas de manquer de besogne.

Il remonte, avec Carbon.

CYRANO, *aux cadets.*

Eh bien donc ! nous allons au blason de Gascogne,
Qui porte six chevrons, messieurs, d'azur et d'or,
Joindre un chevron de sang qui lui manquait encor !

*De Guiche cause bas avec Carbon de
Castel-Jaloux, au fond. On donne des
ordres. La résistance se prépare. Cyrano va
vers Christian qui est resté immobile, les
bras croisés.*

CYRANO, *lui mettant la main sur l'épaule.*

Christian ?

CHRISTIAN, *secouant la tête.*

Roxane !

CYRANO

Hélas !

CHRISTIAN

Au moins, je voudrais mettre
Tout l'adieu de mon cœur dans une belle lettre !...

221

CYRANO

Je me doutais que ce serait pour aujourd'hui.

Il tire un billet de son pourpoint.

Et j'ai fait tes adieux.

CHRISTIAN

Montre !...

CYRANO

Tu veux ?...

CHRISTIAN, *lui prenant la lettre.*

Mais oui !

Il l'ouvre, lit et s'arrête.

Tiens !...

CYRANO

Quoi ?

CHRISTIAN

Ce petit rond ?...

CYRANO, *reprenant la lettre vivement, et regardant d'un air naïf.*

Un rond ?...

CHRISTIAN

C'est une larme !...

CYRANO

Oui... Poète, on se prend à son jeu, c'est le charme !...
Tu comprends... ce billet, – c'était très émouvant :
Je me suis fait pleurer moi-même en l'écrivant.

CHRISTIAN

Pleurer ?...

CYRANO

Oui... parce que... mourir n'est pas terrible.
Mais... ne plus la revoir jamais... voilà l'horrible !
Car enfin je ne la...

> *Christian le regarde.*

nous ne la...

> *Vivement.*

tu ne la...

CHRISTIAN, *lui arrachant la lettre.*

Donne-moi ce billet !

> *On entend une rumeur, au loin, dans le camp.*

LA VOIX D'UNE SENTINELLE

Ventrebieu, qui va là ?

> *Coups de feu. Bruits de voix. Grelots.*

CARBON

Qu'est-ce ?...

LA SENTINELLE, *qui est sur le talus.*

Un carrosse !

> *On se précipite pour voir.*

CRIS

Quoi ? Dans le camp ? – Il y entre !
– Il a l'air de venir de chez l'ennemi ! – Diantre !
Tirez ! – Non ! Le cocher a crié ! – Crié quoi ? –
Il a crié : Service du Roi !

> *Tout le monde est sur le talus et regarde au-dehors. Les grelots se rapprochent.*

DE GUICHE

Hein ? Du Roi !...

On redescend, on s'aligne.

CARBON

Chapeau bas, tous !

DE GUICHE, *à la cantonade.*

Du Roi ! – Rangez-vous, vile tourbe,
Pour qu'il puisse décrire avec pompe sa courbe !

Le carrosse entre au grand trot. Il est couvert de boue et de poussière. Les rideaux sont tirés. Deux laquais derrière. Il s'arrête net.

CARBON, *criant.*

Battez aux champs [1] !

Roulement de tambours. Tous les cadets se découvrent.

DE GUICHE

Baissez le marchepied !

Deux hommes se précipitent. La portière s'ouvre.

ROXANE, *sautant du carrosse.*

Bonjour !

Le son d'une voix de femme relève d'un seul coup tout ce monde profondément incliné. – Stupeur.

---

1. Battre la marche au tambour pour rendre les honneurs à un supérieur ou à un personnage important.

SCÈNE V

Les Mêmes, ROXANE.

DE GUICHE

Service du Roi ! Vous ?

ROXANE

Mais du seul roi, l'Amour !

CYRANO

Ah ! grand Dieu !

CHRISTIAN, *s'élançant*

Vous ! Pourquoi ?

ROXANE

C'était trop long, ce siège !

CHRISTIAN

Pourquoi ?...

ROXANE

Je te dirai !

CYRANO, *qui, au son de sa voix, est resté cloué immobile, sans oser tourner les yeux vers elle.*

Dieu ! La regarderai-je ?

DE GUICHE

Vous ne pouvez rester ici !

ROXANE, *gaiement.*

Mais si ! mais si !
Voulez-vous m'avancer un tambour ?...

Elle s'assied sur un tambour qu'on avance.

Là, merci !

Elle rit.

On a tiré sur mon carrosse !

Fièrement.

Une patrouille !
– Il a l'air d'être fait avec une citrouille,
N'est-ce pas ? comme dans le conte, et les laquais
Avec des rats.

Envoyant des lèvres un baiser à Christian.

Bonjour !

Les regardant tous.

Vous n'avez pas l'air gais !
– Savez-vous que c'est loin, Arras ?

Apercevant Cyrano.

Cousin, charmée !

CYRANO, *s'avançant.*

Ah çà ! comment ?...

ROXANE

Comment j'ai retrouvé l'armée ?
Oh ! mon Dieu, mon ami, mais c'est tout simple : jai
Marché tant que j'ai vu le pays ravagé.
Ah ! ces horreurs, il a fallu que je les visse
Pour y croire ! Messieurs, si c'est là le service
De votre Roi, le mien vaut mieux !

CYRANO

Voyons, c'est fou !
Par où diable avez-vous bien pu passer ?

ROXANE

Par où ?
Par chez les Espagnols.

PREMIER CADET

Ah ! Qu'Elles sont malignes !

DE GUICHE

Comment avez-vous fait pour traverser leurs lignes ?

Cela dut être très difficile !...

ROXANE

Pas trop.
J'ai simplement passé dans mon carrosse, au trot.
Si quelque hidalgo montrait sa mine altière,
Je mettais mon plus beau sourire à la portière,
Et ces messieurs étant, n'en déplaise aux Français,
Les plus galantes gens du monde, – je passais !

CARBON

Oui, c'est un passeport, certes, que ce sourire !
Mais on a fréquemment dû vous sommer de dire
Où vous alliez ainsi, madame ?

ROXANE

Fréquemment.
Alors je répondais : « Je vais voir mon amant. »
– Aussitôt l'Espagnol à l'air le plus féroce
Refermait gravement la porte du carrosse,
D'un geste de la main à faire envie au Roi
Relevait les mousquets déjà braqués sur moi,
Et superbe de grâce, à la fois, et de morgue,
L'ergot tendu sous la dentelle en tuyau d'orgue,
Le feutre au vent pour que la plume palpitât,
S'inclinait en disant : « Passez, señorita ! »

CHRISTIAN

Mais, Roxane...

ROXANE

J'ai dit : mon amant, oui... pardonne !
Tu comprends, si j'avais dit : mon mari, personne
Ne m'eût laissé passer !

CHRISTIAN

Mais...

ROXANE

Qu'avez-vous ?

DE GUICHE

Il faut

Vous en aller d'ici !

ROXANE

Moi ?

CYRANO

Bien vite !

LE BRET

Au plus tôt !

CHRISTIAN

Oui !

ROXANE

Mais comment ?

CHRISTIAN, *embarrassé.*

C'est que...

CYRANO, *de même*

Dans trois quarts d'heure...

DE GUICHE, *de même.*

ou... quatre...

CARBON, *de même.*

Il vaut mieux...

LE BRET, *de même.*

Vous pourriez...

ROXANE

Je reste. On va se battre.

TOUS

Oh ! non !

ROXANE

C'est mon mari !

Elle se jette dans les bras de Christian.

Qu'on me tue avec toi !

CHRISTIAN

Mais quels yeux vous avez !

ROXANE

Je te dirai pourquoi !

DE GUICHE, *désespéré.*

C'est un poste terrible !

ROXANE, *se retournant.*

Hein ! terrible ?

CYRANO

Et la preuve

C'est qu'il nous l'a donné !

ROXANE, *à de Guiche.*

Ah ! vous me vouliez veuve ?

DE GUICHE

Oh ! je vous jure !...

ROXANE

Non ! Je suis folle à présent !

Et je ne m'en vais plus ! D'ailleurs, c'est amusant.

CYRANO

Eh quoi ! la précieuse était une héroïne ?

ROXANE

Monsieur de Bergerac, je suis votre cousine.

UN CADET

Nous vous défendrons bien !

ROXANE, *enfiévrée de plus en plus.*

Je le crois, mes amis !

UN AUTRE, *avec enivrement.*

Tout le camp sent l'iris !

ROXANE

Et j'ai justement mis
Un chapeau qui fera très bien dans la bataille !...

Regardant de Guiche.

Mais peut-être est-il temps que le comte s'en aille :
On pourrait commencer.

DE GUICHE

Ah ! c'en est trop ! Je vais
Inspecter mes canons, et reviens... Vous avez
Le temps encor : changez d'avis !

ROXANE

Jamais !

De Guiche sort.

SCÈNE VI

Les Mêmes, moins DE GUICHE.

CHRISTIAN, *suppliant.*

Roxane !...

ROXANE

Non !

PREMIER CADET, *aux autres.*

Elle reste !

TOUS, *se précipitant, se bousculant, s'astiquant.*

Un peigne ! – Un savon ! – Ma basane
Est trouée : une aiguille ! – Un ruban ! – Ton miroir ! –
Mes manchettes ! – Ton fer à moustache ! – Un rasoir !

ROXANE, *à Cyrano qui la supplie encore.*

Non ! Rien ne me fera bouger de cette place !

CARBON, *après s'être, comme les autres, sanglé, épousseté,
avoir brossé son chapeau, redressé sa plume et tiré ses
manchettes, s'avance vers Roxane, et cérémonieusement.*

Peut-être siérait-il que je vous présentasse,
Puisqu'il en est ainsi, quelques de ces messieurs,
Qui vont avoir l'honneur de mourir sous vos yeux.

> *Roxane s'incline et elle attend, debout au
> bras de Christian. Carbon présente.*

Baron de Peyrescous de Colignac !

LE CADET, *saluant.*

Madame...

CARBON, *continuant.*

Baron de Casterac de Cahuzac. – Vidame
De Malgouyre Estresac Lésbas d'Escarabiot. –
Chevalier d'Antignac-Juzet. – Baron Hillot
De Blagnac-Saléchant de Castel-Crabioules...

ROXANE

Mais combien avez-vous de noms, chacun ?

LE BARON HILLOT

Des foules !

CARBON, *à Roxane.*

Ouvrez la main qui tient votre mouchoir.

ROXANE, *ouvre la main et le mouchoir tombe.*

Pourquoi ?

*Toute la compagnie fait le mouvement de
s'élancer pour le ramasser.*

CARBON, *le ramassant vivement.*

Ma compagnie était sans drapeau ! Mais ma foi,
C'est le plus beau du camp qui flottera sur elle !

ROXANE, *souriant.*

Il est un peu petit.

CARBON, *attachant le mouchoir à la hampe
de sa lance de capitaine.*

Mais il est en dentelle !

UN CADET, *aux autres.*

Je mourrais sans regret ayant vu ce minois,
Si j'avais seulement dans le ventre une noix !...

CARBON, *qui l'a entendu, indigné.*

Fi ! parler de manger lorsqu'une exquise femme !...

ROXANE

Mais l'air du camp est vif et, moi-même, m'affame :
Pâtés, chauds-froids, vins fins : – mon menu, le voilà !
– Voulez-vous m'apporter tout cela !

Consternation.

UN CADET

Tout cela !

UN AUTRE

Où le prendrions-nous, grand Dieu ?

ROXANE, *tranquillement.*

Dans mon carrosse.

TOUS

Hein ?...

Mais il faut qu'on serve et découpe, et désosse !
Regardez mon cocher d'un peu plus près, messieurs,
Et vous reconnaîtrez un homme précieux :
Chaque sauce sera, si l'on veut, réchauffée !

LES CADETS, *se ruant vers le carrosse.*

C'est Ragueneau !

Acclamations.

Oh ! Oh !

ROXANE, *les suivant des yeux.*

Pauvres gens !

CYRANO, *lui baisant la main.*

Bonne fée !

RAGUENEAU, *debout sur le siège comme un charlatan
en place publique.*

Messieurs !

Enthousiasme.

LES CADETS

Bravo ! Bravo !

RAGUENEAU

Les Espagnols n'ont pas,
Quand passaient tant d'appas, vu passer le repas !

Applaudissements.

CYRANO, *bas à Christian.*

Hum ! hum ! Christian !

RAGUENEAU

Distraits par la galanterie
Ils n'ont pas vu...

Il tire de son siège un plat qu'il élève.

La galantine !...

Applaudissements. La galantine passe de main en main.

CYRANO, *bas à Christian.*

Je t'en prie,

Un seul mot !...

RAGUENEAU

Et Vénus sut occuper leur œil
Pour que Diane, en secret, pût passer...

Il brandit un gigot.

son chevreuil !

Enthousiasme. Le gigot est saisi par vingt mains tendues.

CYRANO, *bas à Christian.*

Je voudrais te parler !

ROXANE, *aux cadets qui redescendent,
les bras chargés de victuailles.*

Posez cela par terre !

Elle met le couvert sur l'herbe, aidée des deux laquais imperturbables qui étaient derrière le carrosse.

ROXANE, *à Christian, au moment où Cyrano allait l'entraîner à part.*

Vous, rendez-vous utile !

Christian vient l'aider. Mouvement d'inquiétude de Cyrano.

RAGUENEAU

Un paon truffé !

PREMIER CADET, *épanoui, qui descend en coupant*
une large tranche de jambon.

Tonnerre !
Nous n'aurons pas couru notre dernier hasard
Sans faire un gueuleton...

Se reprenant vivement en voyant Roxane.

pardon ! un balthazar [1] !

RAGUENEAU, *lançant les coussins du carrosse.*

Les coussins sont remplis d'ortolans !

Tumulte. On éventre les coussins. Rire.
Joie.

TROISIÈME CADET

Ah ! Viédaze [2] !

RAGUENEAU, *lançant des flacons de vin rouge.*

Des flacons de rubis !...

De vin blanc.

Des flacons de topaze !

ROXANE, *jetant une nappe pliée à la figure de Cyrano.*

Défaites cette nappe !... Eh ! hop ! Soyez léger !

RAGUENEAU, *brandissant une lanterne arrachée.*

Chaque lanterne est un petit garde-manger !

CYRANO, *bas à Christian, pendant qu'ils arrangent*
la nappe ensemble.

Il faut que je te parle avant que tu lui parles !

RAGUENEAU, *de plus en plus lyrique.*

Le manche de mon fouet est un saucisson d'Arles !

1. Festin.
2. Nom populaire de l'aubergine dans le Midi. C'est aussi un juron
ou une insulte signifiant : « nigaud, mauvais drôle ».

ROXANE, *versant du vin, servant.*

Puisqu'on nous fait tuer, morbleu ! nous nous moquons
Du reste de l'armée ! – Oui ! tout pour les Gascons !
Et si de Guiche vient, personne ne l'invite !

> *Allant de l'un à l'autre.*

Là, vous avez le temps. – Ne mangez pas si vite ! –
Buvez un peu. – Pourquoi pleurez-vous ?

PREMIER CADET

> C'est trop bon !

ROXANE

Chut ! – Rouge ou blanc ? – Du pain pour monsieur de
> [Carbon !
– Un couteau ! – Votre assiette ! – Un peu de croûte
> [encore ?
– Je vous sers ! – Du bourgogne ? – Une aile ?

> CYRANO, *qui la suit, les bras chargés de plats,*
> *l'aidant à servir.*

> Je l'adore !

ROXANE, *allant à Christian.*

Vous ?

CHRISTIAN

Rien.

ROXANE

> Si ! ce biscuit, dans du muscat... deux doigts !

CHRISTIAN, *essayant de la retenir.*

Oh ! dites-moi pourquoi vous vîntes ?

ROXANE

> Je me dois
A ces malheureux... Chut ! Tout à l'heure !...

236

LE BRET, *qui était remonté au fond, pour passer, au bout d'une lance, un pain à la sentinelle du talus.*

De Guiche !

CYRANO

Vite, cachez flacon, plat, terrine, bourriche !
Hop ! – N'ayons l'air de rien !...

A Ragueneau.

Toi, remonte d'un bond
Sur ton siège ! – Tout est caché ?...

En un clin d'œil tout a été repoussé dans les tentes, ou caché sous les vêtements, sous les manteaux, dans les feutres. – De Guiche entre vivement – et s'arrête, tout d'un coup, reniflant. – Silence.

SCÈNE VII

Les Mêmes, DE GUICHE.

DE GUICHE

Cela sent bon.

UN CADET, *chantonnant d'un air détaché.*

To lo lo !...

DE GUICHE, *s'arrêtant et le regardant.*

Qu'avez-vous, vous ?... Vous êtes tout rouge !

LE CADET

Moi ?... Mais rien. C'est le sang. On va se battre : il bouge !

UN AUTRE

Poum... poum... poum...

DE GUICHE, *se retournant.*

Qu'est cela ?

LE CADET, *légèrement gris.*

Rien ! C'est une chan-
[son !

Une petite...

DE GUICHE

Vous êtes gai, mon garçon !

LE CADET

L'approche du danger !

DE GUICHE, *appelant Carbon de Castel-Jaloux,*
pour donner un ordre.

Capitaine ! je...

Il s'arrête en le voyant.

Peste !

Vous avez bonne mine aussi !

CARBON, *cramoisi, et cachant une bouteille derrière son dos,*
avec un geste évasif.

Oh !...

DE GUICHE

Il me reste
Un canon que j'ai fait porter...

Il montre un endroit dans la coulisse.

là, dans ce coin,
Et vos hommes pourront s'en servir au besoin.

UN CADET, *se dandinant.*

Charmante attention !

UN AUTRE, *lui souriant gracieusement.*

Douce sollicitude !

DE GUICHE

Ah çà ! mais ils sont fous ! –

Sèchement.

N'ayant pas l'habitude
Du canon, prenez garde au recul.

LE PREMIER CADET

Ah ! pfftt !

DE GUICHE, *allant à lui, furieux.*

Mais !...

LE CADET

Le canon des Gascons ne recule jamais !

DE GUICHE, *le prenant par le bras et le secouant.*

Vous êtes gris !... De quoi ?

LE CADET, *superbe.*

De l'odeur de la poudre !

DE GUICHE, *haussant les épaules, le repousse*
et va vivement à Roxane.

Vite, à quoi daignez-vous, madame, vous résoudre ?

ROXANE

Je reste !

DE GUICHE

Fuyez !

ROXANE

Non !

DE GUICHE

Puisqu'il en est ainsi,
Qu'on me donne un mousquet !

CARBON

Comment ?

DE GUICHE

Je reste aussi.

CYRANO

Enfin, Monsieur ! voilà de la bravoure pure !

PREMIER CADET

Seriez-vous un Gascon malgré votre guipure [1] ?

ROXANE

Quoi !...

DE GUICHE

Je ne quitte pas une femme en danger.

DEUXIÈME CADET, *au premier.*

Dis donc ! Je crois qu'on peut lui donner à manger !

1. Sorte de dentelle représentant des motifs. En l'occurrence, signe
de richesse et d'élégance.

241

*Toutes les victuailles reparaissent
comme par enchantement.*

DE GUICHE, *dont les yeux s'allument.*

Des vivres !

UN TROISIÈME CADET

Il en sort de toutes les vestes !

DE GUICHE, *se maîtrisant, avec hauteur.*

Est-ce que vous croyez que je mange vos restes !

CYRANO, *saluant.*

Vous faites des progrès !

DE GUICHE, *fièrement, et à qui échappe sur le dernier
mot une légère pointe d'accent.*

Je vais me battre à jeun !

PREMIER CADET, *exultant de joie.*

A *jeung !* Il vient d'avoir l'accent !

DE GUICHE, *riant.*

Moi !

LE CADET

C'en est un !

Ils se mettent tous à danser.

CARBON DE CASTEL-JALOUX, *qui a disparu depuis
un moment derrière le talus, reparaissant sur la crête.*

J'ai rangé mes piquiers, leur troupe est résolue !

*Il montre une ligne de piques qui dépasse
la crête.*

DE GUICHE, *à Roxane, en s'inclinant.*

Acceptez-vous ma main pour passer leur revue ?...

Elle la prend, ils remontent vers le talus.
Tout le monde se découvre et les suit.

CHRISTIAN, *allant à Cyrano, vivement.*

Parle vite !

> *Au moment où Roxane paraît sur la*
> *crête, les lances disparaissent, abaissées*
> *pour le salut, un cri s'élève : elle s'incline.*

LES PIQUIERS, *au-dehors.*

Vivat !

CHRISTIAN

Quel était ce secret !

CYRANO

Dans le cas où Roxane...

CHRISTIAN

Eh bien ?

CYRANO

Te parlerait

Des lettres ?

CHRISTIAN

Oui, je sais !...

CYRANO

Ne fais pas la sottise

De t'étonner...

CHRISTIAN

De quoi ?

CYRANO

Il faut que je te dise !...
Oh ! mon Dieu, c'est tout simple, et j'y pense aujourd'hui
En la voyant. Tu lui...

CHRISTIAN

Parle vite !

CYRANO

Tu lui...
As écrit plus souvent que tu ne crois.

CHRISTIAN

Hein ?

CYRANO

Dame !
Je m'en étais chargé : j'interprétais ta flamme !
J'écrivais quelquefois sans te dire : j'écris !

CHRISTIAN

Ah !

CYRANO

C'est tout simple !

CHRISTIAN

Mais comment t'y es-tu pris,
Depuis qu'on est bloqué pour ?...

CYRANO

Oh !... avant l'aurore
Je pouvais traverser...

CHRISTIAN, *se croisant les bras.*

Ah ! c'est tout simple encore ?
Et qu'ai-je écrit de fois par semaine ?... Deux ? – Trois ?...
Quatre ? –

CYRANO

Plus.

CHRISTIAN

Tous les jours ?

244

Oui, tous les jours. – Deux
[fois.

CHRISTIAN, *violemment.*

Et cela t'enivrait, et l'ivresse était telle
Que tu bravais la mort...

CYRANO, *voyant Roxane qui revient.*

Tais-toi ! Pas devant elle !

Il rentre vivement dans sa tente.

SCÈNE VIII

ROXANE, CHRISTIAN ; au fond, allées et venues de Cadets.
CARBON et DE GUICHE donnent des ordres.

ROXANE, *courant à Christian.*

Et maintenant, Christian !...

CHRISTIAN, *lui prenant les mains.*

Et maintenant, dis-moi
Pourquoi, par ces chemins effroyables, pourquoi
A travers tous ces rangs de soudards et de reîtres,
Tu m'as rejoint ici ?

ROXANE

C'est à cause des lettres !

CHRISTIAN

Tu dis ?

ROXANE

Tant pis pour vous si je cours ces dangers !
Ce sont vos lettres qui m'ont grisée ! Ah ! songez
Combien depuis un mois vous m'en avez écrites,
Et plus belles toujours !

245

Quoi ! pour quelques petites

Lettres d'amour...

ROXANE

Tais-toi !... Tu ne peux pas savoir !
Mon Dieu, je t'adorais, c'est vrai, depuis qu'un soir,
D'une voix que je t'ignorais, sous ma fenêtre,
Ton âme commença de se faire connaître...
Eh bien ! tes lettres, c'est, vois-tu, depuis un mois,
Comme si tout le temps, je l'entendais, ta voix
De ce soir-là, si tendre, et qui vous enveloppe !
Tant pis pour toi, j'accours. La sage Pénélope
Ne fût pas demeurée à broder sous son toit,
Si le Seigneur Ulysse eût écrit comme toi,
Mais pour le joindre, elle eût, aussi folle qu'Hélène,
Envoyé promener ses pelotons de laine !...

CHRISTIAN

Mais...

ROXANE

Je lisais, je relisais, je défaillais,
J'étais à toi. Chacun de ces petits feuillets
Était comme un pétale envolé de ton âme.
On sent à chaque mot de ces lettres de flamme
L'amour puissant, sincère...

CHRISTIAN

Ah ! sincère et puissant ?

Cela se sent, Roxane ?...

ROXANE

Oh ! si cela se sent !

CHRISTIAN

Et vous venez ?

ROXANE

Je viens (ô mon Christian, mon maître !
Vous me relèveriez si je voulais me mettre

A vos genoux, c'est donc mon âme que j'y mets,
Et vous ne pourrez plus la relever jamais !)
Je viens te demander pardon, puisqu'il se peut qu'on
[meure !
De t'avoir fait d'abord, dans ma frivolité,
L'insulte de t'aimer pour ta seule beauté !

CHRISTIAN, *avec épouvante.*

Ah ! Roxane !

ROXANE

Et plus tard, mon ami, moins frivole,
– Oiseau qui saute avant tout à fait qu'il s'envole,
Ta beauté m'arrêtant, ton âme m'entraînant,
Je t'aimais pour les deux ensemble !...

CHRISTIAN

Et maintenant ?

ROXANE

Eh bien ! toi-même enfin l'emporte sur toi-même
Et ce n'est plus que pour ton âme que je t'aime.

CHRISTIAN, *reculant.*

Ah ! Roxane !

ROXANE

Sois donc heureux. Car n'être aimé
Que pour ce dont on est un instant costumé,
Doit mettre un cœur avide et noble à la torture ;
Mais ta chère pensée efface ta figure,
Et la beauté par quoi tout d'abord tu me plus,
Maintenant j'y vois mieux... et je ne la vois plus !

CHRISTIAN

Oh !...

ROXANE

Tu doutes encor d'une telle victoire ?...

CHRISTIAN, *douloureusement.*

Roxane !

ROXANE

Je comprends, tu ne peux pas y croire,
A cet amour ?...

CHRISTIAN

Je ne veux pas de cet amour !
Moi, je veux être aimé plus simplement pour...

ROXANE

Pour
Ce qu'en vous elles ont aimé jusqu'à cette heure ?
Laissez-vous donc aimer d'une façon meilleure !

CHRISTIAN

Non ! c'était mieux avant !

ROXANE

Ah ! tu n'y entends rien !
C'est maintenant que j'aime mieux, que j'aime bien !
C'est ce qui te fait toi, tu m'entends, que j'adore,
Et moins brillant...

CHRISTIAN

Tais-toi !

ROXANE

Je t'aimerais encore !
Si toute ta beauté tout d'un coup s'envolait...

CHRISTIAN

Oh ! ne dis pas cela !

ROXANE

Si ! je le dis !

CHRISTIAN

Quoi ? laid ?

Laid ! je le jure !

Dieu !

ROXANE

Et ta joie est profonde ?

CHRISTIAN, *d'une voix étouffée.*

Oui...

ROXANE

Qu'as-tu ?...

CHRISTIAN, *la repoussant doucement.*

Rien. Deux mots à dire : une seconde...

ROXANE

Mais ?

CHRISTIAN, *lui montrant un groupe de cadets, au fond.*

A ces pauvres gens mon amour t'enleva :
Va leur sourire un peu puisqu'ils vont mourir... va !

ROXANE, *attendrie.*

Cher Christian !

> *Elle remonte vers les Gascons qui s'empressent respectueusement autour d'elle.*

SCÈNE IX

CHRISTIAN, CYRANO ; au fond ROXANE, causant avec CARBON et
quelques Cadets.

CHRISTIAN, *appelant vers la tente de Cyrano.*

Cyrano ?

CYRANO, *reparaissant, armé pour la bataille.*

Qu'est-ce ? Te voilà blême !

CHRISTIAN

Elle ne m'aime plus !

CYRANO

Comment ?

CHRISTIAN

C'est toi qu'elle aime !

CYRANO

Non !

CHRISTIAN

Elle n'aime plus que mon âme !

CYRANO .

Non !

CHRISTIAN

Si !
C'est donc bien toi qu'elle aime, – et tu l'aimes aussi !

CYRANO

Moi ?

CHRISTIAN

Je le sais.

CYRANO

C'est vrai.

CHRISTIAN

Comme un fou.

CYRANO

Davantage.

CHRISTIAN

Dis-le-lui !

CYRANO

Non !

CHRISTIAN

Pourquoi ?

CYRANO

Regarde mon visage !

CHRISTIAN

Elle m'aimerait laid !

CYRANO

Elle te l'a dit !

CHRISTIAN

Là !

CYRANO

Ah ! je suis bien content qu'elle t'ait dit cela !
Mais va, va, ne crois pas cette chose insensée !
– Mon Dieu, je suis content qu'elle ait eu la pensée
De la dire, – mais va, ne la prends pas au mot,
Va, ne deviens pas laid : elle m'en voudrait trop !

CHRISTIAN

C'est ce que je veux voir !

CYRANO

Non, non !

CHRISTIAN

Qu'elle choisisse !
Tu vas lui dire tout !

CYRANO

Non, non ! Pas ce supplice.

CHRISTIAN

Je tuerais ton bonheur parce que je suis beau ?
C'est trop injuste !

CYRANO

Et moi, je mettrais au tombeau
Le tien parce que, grâce au hasard qui fait naître,
J'ai le don d'exprimer... ce que tu sens peut-être ?

CHRISTIAN

Dis-lui tout !

CYRANO

Il s'obstine à me tenter, c'est mal !

CHRISTIAN

Je suis las de porter en moi-même un rival !

CYRANO

Christian !

CHRISTIAN

Notre union – sans témoins – clandestine,
– Peut se rompre, – si nous survivons !

CYRANO

Il s'obstine !...

CHRISTIAN

Oui, je veux être aimé moi-même, ou pas du tout !
– Je vais voir ce qu'on fait, tiens ! Je vais jusqu'au bout
Du poste ; je reviens : parle, et qu'elle préfère
L'un de nous deux !

CYRANO

Ce sera toi !

CHRISTIAN

Mais je l'espère !

Il appelle.

Roxane !

CYRANO

Non ! Non !

ROXANE, *accourant.*

Quoi ?

CHRISTIAN

Cyrano vous dira
Une chose importante...

Elle va vivement à Cyrano. Christian sort.

SCÈNE X

ROXANE, CYRANO, puis LE BRET, CARBON DE CASTEL-JALOUX,
les Cadets, RAGUENEAU, DE GUICHE, etc.

ROXANE

Importante ?

CYRANO, *éperdu.*

Il s'en va !...

A Roxane.

Rien... il attache, – oh ! Dieu ! vous devez le connaître ! –
De l'importance à rien !

ROXANE, *vivement.*

Il a douté peut-être
De ce que j'ai dit là ?... J'ai vu qu'il a douté !...

CYRANO, *lui prenant la main.*

Mais avez-vous bien dit, d'ailleurs, la vérité ?

ROXANE

Oui, oui, je l'aimerais même...

Elle hésite une seconde.

CYRANO, *souriant tristement.*

Le mot vous gêne
Devant moi ?

Mais...

CYRANO

Il ne me fera pas de peine !
– Même laid ?

ROXANE

Même laid !

Mousqueterie au-dehors.

Ah ! tiens, on a tiré !

CYRANO, *ardemment.*

Affreux ?

ROXANE

Affreux !

CYRANO

Défiguré ?

ROXANE

Défiguré !

CYRANO

Grotesque ?

ROXANE

Rien ne peut me le rendre grotesque !

CYRANO

Vous l'aimeriez encore ?

ROXANE

Et davantage presque !

CYRANO, *perdant la tête, à part.*

Mon Dieu, c'est vrai, peut-être, et le bonheur est là.

A Roxane.

Je... Roxane... écoutez !...

LE BRET, *entrant rapidement, appelle à mi-voix.*

Cyrano !

CYRANO, *se retournant.*

Hein ?

LE BRET

Chut !

Il lui dit un mot tout bas.

CYRANO, *laissant échapper la main de Roxane,
avec un cri.*

Ah !...

ROXANE

Qu'avez-vous ?

CYRANO, *à lui-même, avec stupeur.*

C'est fini.

Détonations nouvelles.

ROXANE

Quoi ? Qu'est-ce encore ! On tire ?

Elle remonte pour regarder au-dehors.

CYRANO

C'est fini, jamais plus je ne pourrai le dire !

ROXANE, *voulant s'élancer.*

Que se passe-t-il ?

CYRANO, *vivement l'arrêtant.*

Rien !

*Des cadets sont entrés, cachant quelque
chose qu'ils portent, et ils forment un groupe
empêchant Roxane d'approcher.*

ROXANE

Ces hommes ?

CYRANO, *l'éloignant.*

Laissez-les !...

ROXANE

Mais qu'alliez-vous me dire avant ?...

CYRANO

Ce que j'allais
Vous dire ?... rien, oh ! rien, je le jure, madame !

Solennellement.

Je jure que l'esprit de Christian, que son âme
Étaient...

Se reprenant avec terreur.

Sont les plus grands...

ROXANE

Étaient ?

Avec un grand cri.

Ah !...

Elle se précipite et écarte tout le monde.

CYRANO

C'est fini.

ROXANE, *voyant Christian couché dans son manteau.*

Christian !

LE BRET, *à Cyrano.*

Le premier coup de feu de l'ennemi !

*Roxane se jette sur le corps de Christian.
Nouveaux coups de feu. Cliquetis. Rumeurs.
Tambours.*

C'est l'attaque ! Aux mousquets !

> *Suivi des cadets, il passe de l'autre côté du talus.*

ROXANE

Christian !

LA VOIX DE CARBON, *derrière le talus.*

Qu'on se dépêche !

ROXANE

Christian !

CARBON

Alignez-vous !

ROXANE

Christian !

CARBON

Mesurez... mèche !

Ragueneau est accouru, apportant de l'eau dans un casque.

CHRISTIAN, *d'une voix mourante.*

Roxane !...

CYRANO, *vite et bas à l'oreille de Christian, pendant que Roxane affolée trempe dans l'eau, pour le panser, un morceau de linge arraché à sa poitrine.*

J'ai tout dit. C'est toi qu'elle aime encor !

Christian ferme les yeux.

ROXANE

Quoi, mon amour ?

CARBON

Baguette haute !

ROXANE, *à Cyrano.*

Il n'est pas mort ?...

CARBON

Ouvrez la charge avec les dents !

ROXANE

            Je sens sa joue
Devenir froide, là, contre la mienne !

CARBON

                    En joue !

ROXANE

Une lettre sur lui !

                            Elle ouvre.

        Pour moi !

CYRANO, *à part.*

            Ma lettre !

CARBON

                    Feu !

        Mousqueterie. Cris. Bruit de bataille.

CYRANO, *voulant dégager sa main que tient
            Roxane agenouillée.*

Mais, Roxane, on se bat !

ROXANE, *le retenant.*

            Restez encore un peu.
Il est mort. Vous étiez le seul à le connaître.

                    Elle pleure doucement.

– N'est-ce pas que c'était un être exquis, un être
Merveilleux ?

CYRANO, *debout, tête nue.*

    Oui, Roxane.

ROXANE

            Un poète inouï,

Adorable ?

260

CYRANO

Oui, Roxane.

ROXANE

Un esprit sublime ?

CYRANO

Oui,

Roxane !

ROXANE

Un cœur profond, inconnu du profane,
Une âme magnifique et charmante ?

CYRANO, *fermement*.

Oui, Roxane !

ROXANE, *se jetant sur le corps de Christian*.

Il est mort !

CYRANO, *à part, tirant l'épée*.

Et je n'ai qu'à mourir aujourd'hui,
Puisque, sans le savoir, elle me pleure en lui !

Trompettes au loin.

DE GUICHE, *qui reparaît sur le talus, décoiffé,
blessé au front, d'une voix tonnante*.

C'est le signal promis ! Des fanfares de cuivres !
Les Français vont rentrer au camp avec des vivres !
Tenez encore un peu !

ROXANE

Sur sa lettre, du sang,

Des pleurs !

UNE VOIX, *au-dehors criant*.

Rendez-vous !

Non !

RAGUENEAU, *qui grimpé sur son carrosse regarde
la bataille par-dessus le talus.*

Le péril va croissant !

CYRANO, *à de Guiche lui montrant Roxane.*

Emportez-la ! Je vais charger !

ROXANE, *baisant la lettre, d'une voix mourante.*

Son sang ! ses larmes !...

RAGUENEAU, *sautant à bas du carrosse pour courir vers elle.*

Elle s'évanouit !

DE GUICHE, *sur le talus, aux cadets, avec rage.*

Tenez bon !

UNE VOIX, *au-dehors.*

Bas les armes !

VOIX DES CADETS

Non !

CYRANO, *à de Guiche.*

Vous avez prouvé, Monsieur, votre valeur :

Lui montrant Roxane.

Fuyez en la sauvant !

DE GUICHE, *qui court à Roxane et l'enlève dans ses bras.*

Soit ! Mais on est vainqueur
Si vous gagnez du temps !

CYRANO

C'est bon !

Criant vers Roxane que de Guiche, aidé de Ragueneau, emporte évanouie.

Adieu, Roxane !

Tumulte. Cris. Des cadets reparaissent blessés et viennent tomber en scène. Cyrano se précipitant au combat est arrêté sur la crête par Carbon de Castel-Jaloux, couvert de sang.

CARBON

Nous plions ! J'ai reçu deux coups de pertuisane [1] !

CYRANO, *criant aux Gascons.*

Hardi ! Reculès pas, drollos !

A Carbon, qu'il soutient.

N'ayez pas peur !
J'ai deux morts à venger : Christian et mon bonheur !

Ils redescendent. Cyrano brandit la lance où est attaché le mouchoir de Roxane.

Flotte, petit drapeau de dentelle à son chiffre !

Il la plante en terre ; il crie aux cadets.

Toumbé dèssus ! Escrasas lous !

Au fifre.

Un air de fifre !

Le fifre joue. Des blessés se relèvent. Des cadets dégringolant le talus viennent se grouper autour de Cyrano et du petit drapeau. Le carrosse se couvre et se remplit d'hommes, se hérisse d'arquebuses, se transforme en redoute.

1. Sorte de hallebarde à lame plus longue.

Ils montent le talus !

Et tombe mort.

CYRANO

On va les saluer !

Le talus se couronne en un instant d'une rangée terrible d'ennemis. Les grands étendards des Impériaux se lèvent.

CYRANO

Feu !

Décharge générale.

CRI, *dans les rangs ennemis.*

Feu !

Riposte meurtrière. Les cadets tombent de tous côtés.

UN OFFICIER ESPAGNOL, *se découvrant.*

Quels sont ces gens qui se font tous tuer ?

CYRANO, *récitant debout au milieu des balles.*

Ce sont les cadets de Gascogne
De Carbon de Castel-Jaloux ;
Bretteurs et menteurs sans vergogne...

Il s'élance, suivi de quelques survivants.

Ce sont les cadets...

Le reste se perd dans la bataille.

RIDEAU

Cinquième acte

Quinze ans après, en 1655. Le parc du couvent que les Dames de la Croix occupaient à Paris.

Superbes ombrages. A gauche, la maison ; vaste perron sur lequel ouvrent plusieurs portes. Un arbre énorme au milieu de la scène, isolé au milieu d'une petite place ovale. A droite, premier plan, parmi de grands buis, un banc de pierre demi-circulaire.

Tout le fond du théâtre est traversé par une allée de marronniers qui aboutit à droite, quatrième plan, à la porte d'une chapelle entrevue parmi les branches. A travers le double rideau d'arbres de cette allée, on aperçoit des fuites de pelouses, d'autres allées, des bosquets, les profondeurs du parc, le ciel.

La chapelle ouvre une porte latérale sur une colonnade enguirlandée de vigne rougie, qui vient se perdre à droite, au premier plan, derrière les buis.

C'est l'automne. Toute la frondaison est rousse au-dessus des pelouses fraîches. Taches sombres des buis et des ifs restés verts. Une plaque de feuilles jaunes sous chaque arbre. Les feuilles jonchent toute la scène, craquent sous les pas dans les allées, couvrent à demi le perron et les bancs.

Entre le banc de droite et l'arbre, un grand métier à broder devant lequel une petite chaise a été apportée. Paniers pleins d'écheveaux et de pelotons. Tapisserie commencée.

Au lever du rideau, des sœurs vont et viennent dans le parc ;
quelques-unes sont assises sur le banc autour d'une religieuse
plus âgée. Des feuilles tombent.

SCÈNE PREMIÈRE

MÈRE MARGUERITE, SŒUR MARTHE, SŒUR CLAIRE, les Sœurs.

SŒUR MARTHE, *à mère Marguerite.*

Sœur Claire a regardé deux fois comment allait
Sa cornette, devant la glace.

MÈRE MARGUERITE, *à sœur Claire.*

C'est très laid.

SŒUR CLAIRE

Mais sœur Marthe a repris un pruneau de la tarte,
Ce matin : je l'ai vu.

MÈRE MARGUERITE, *à sœur Marthe.*

C'est très vilain, sœur Marthe.

SŒUR CLAIRE

Un tout petit regard !

SŒUR MARTHE

Un tout petit pruneau !

MÈRE MARGUERITE, *sévèrement.*

Je le dirai, ce soir, à Monsieur Cyrano.

SŒUR CLAIRE, *épouvantée.*

Non ! il va se moquer !

SŒUR MARTHE

Il dira que les nonnes
Sont très coquettes !

Très gourmandes !

MÈRE MARGUERITE, *souriant.*

Et très bonnes.

SŒUR CLAIRE

N'est-ce pas, Mère Marguerite de Jésus,
Qu'il vient, le samedi, depuis dix ans !

MÈRE MARGUERITE

Et plus !
Depuis que sa cousine à nos béguins [1] de toile
Mêla le deuil mondain de sa coiffe de voile,
Qui chez nous vint s'abattre, il y a quatorze ans,
Comme un grand oiseau noir parmi les oiseaux blancs !

SŒUR MARTHE

Lui seul, depuis qu'elle a pris chambre dans ce cloître,
Sait distraire un chagrin qui ne veut pas décroître.

TOUTES LES SŒURS

Il est si drôle ! – C'est amusant quand il vient !
– Il nous taquine ! – Il est gentil ! – Nous l'aimons bien !
– Nous fabriquons pour lui des pâtes d'angélique [2] !

SŒUR MARTHE

Mais enfin, ce n'est pas un très bon catholique !

SŒUR CLAIRE

Nous le convertirons.

LES SŒURS

Oui ! Oui !

1. Coiffes que portaient certaines religieuses appelées béguines.
2. Plante odorante dont on fait des confiseries.

Je vous défends
De l'entreprendre encor sur ce point, mes enfants.
Ne le tourmentez pas : il viendrait moins peut-être !

SŒUR MARTHE

Mais... Dieu !...

MÈRE MARGUERITE

Rassurez-vous : Dieu doit bien le connaître.

SŒUR MARTHE

Mais chaque samedi, quand il vient d'un air fier,
Il me dit en entrant : « Ma sœur, j'ai fait gras, hier ! »

MÈRE MARGUERITE

Ah ! il vous dit cela ?... Eh bien ! la fois dernière
Il n'avait pas mangé depuis deux jours.

SŒUR MARTHE

Ma mère !

MÈRE MARGUERITE

Il est pauvre.

SŒUR MARTHE

Qui vous l'a dit ?

MÈRE MARGUERITE

Monsieur Le Bret.

SŒUR MARTHE

On ne le secourt pas ?

MÈRE MARGUERITE

Non, il se fâcherait.

*Dans une allée du fond, on voit apparaître
Roxane, vêtue de noir, avec la coiffe des
veuves et de longs voiles ; de Guiche, magni-*

fique et vieillissant, marche auprès d'elle. Ils
vont à pas lents. Mère Marguerite se lève.

– Allons, il faut rentrer... Madame Magdeleine,
Avec un visiteur, dans le parc se promène.

SŒUR MARTHE, *bas à sœur Claire.*

C'est le duc-maréchal de Grammont ?

SŒUR CLAIRE, *regardant*

Oui, je crois.

SŒUR MARTHE

Il n'était plus venu la voir depuis des mois !

LES SŒURS

Il est très pris ! – La cour ! – Les camps !

SŒUR CLAIRE

Les soins du monde !

Elles sortent. De Guiche et Roxane des-
cendent en silence et s'arrêtent près du
métier. Un temps.

SCÈNE II

ROXANE, LE DUC DE GRAMMONT ancien comte de Guiche, puis
LE BRET et RAGUENEAU.

LE DUC

Et vous demeurerez ici, vainement blonde,
Toujours en deuil ?

ROXANE

Toujours.

LE DUC

Aussi fidèle ?

ROXANE

Aussi.

LE DUC, *après un temps.*

Vous m'avez pardonné ?

ROXANE, *simplement, regardant la croix du couvent.*

Puisque je suis ici.

Nouveau silence.

LE DUC

Vraiment c'était un être ?...

ROXANE

Il fallait le connaître !

LE DUC

Ah ! Il fallait ?... Je l'ai trop peu connu, peut-être !
... Et son dernier billet, sur votre cœur, toujours ?

ROXANE

Comme un doux scapulaire, il pend à ce velours.

LE DUC

Même mort, vous l'aimez ?

ROXANE

Quelquefois il me semble
Qu'il n'est mort qu'à demi, que nos cœurs sont ensemble,
Et que son amour flotte, autour de moi, vivant !

LE DUC, *après un silence encore.*

Est-ce que Cyrano vient vous voir ?

ROXANE

Oui, souvent.
– Ce vieil ami, pour moi, remplace les gazettes.
Il vient ; c'est régulier ; sous cet arbre où vous êtes
On place son fauteuil, s'il fait beau ; je l'attends

272

En brodant ; l'heure sonne ; au dernier coup, j'entends
– Car je ne tourne plus même le front ! – sa canne
Descendre le perron ; il s'assied ; il ricane
De ma tapisserie éternelle ; il me fait
La chronique de la semaine, et...

> *Le Bret paraît sur le perron.*

Tiens, Le Bret !

> *Le Bret descend.*

Comment va notre ami ?

LE BRET

Mal.

LE DUC

Oh !

ROXANE, *au duc.*

Il exagère !

LE BRET

Tout ce que j'ai prédit : l'abandon, la misère !...
Ses épîtres lui font des ennemis nouveaux !
Il attaque les faux nobles, les faux dévots,
Les faux braves, les plagiaires, – tout le monde.

ROXANE

Mais son épée inspire une terreur profonde.
On ne viendra jamais à bout de lui.

LE DUC, *hochant la tête.*

Qui sait ?

LE BRET

Ce que je crains, ce n'est pas les attaques, c'est
La solitude, la famine, c'est Décembre
Entrant à pas de loup dans son obscure chambre :
Voilà les spadassins qui plutôt le tueront !
– Il serre chaque jour, d'un cran, son ceinturon.

Son pauvre nez a pris des tons de vieil ivoire.
Il n'a plus qu'un petit habit de serge noire.

LE DUC

Ah ! celui-là n'est pas parvenu ! – C'est égal,
Ne le plaignez pas trop.

LE BRET, *avec un sourire amer.*

Monsieur le maréchal !...

LE DUC

Ne le plaignez pas trop : il a vécu sans pactes,
Libre dans sa pensée autant que dans ses actes.

LE BRET, *de même.*

Monsieur le duc !...

LE DUC, *hautainement.*

Je sais, oui : j'ai tout ; il n'a rien...
Mais je lui serrerais bien volontiers la main.

Saluant Roxane.

Adieu.

ROXANE

Je vous conduis.

*Le duc salue Le Bret et se dirige avec
Roxane vers le perron.*

LE DUC, *s'arrêtant, tandis qu'elle remonte.*

Oui, parfois, je l'envie.
– Voyez-vous, lorsqu'on a trop réussi sa vie,
On sent, – n'ayant rien fait, mon Dieu, de vraiment mal !
Mille petits dégoûts de soi, dont le total
Ne fait pas un remords, mais une gêne obscure ;
Et les manteaux de duc traînent dans leur fourrure,
Pendant que des grandeurs on monte les degrés,
Un bruit d'illusions sèches et de regrets,
Comme, quand vous montez lentement vers ces portes,
Votre robe de deuil traîne les feuilles mortes.

ROXANE, *ironique.*

Vous voilà bien rêveur ?...

LE DUC

Eh ! oui !

Au moment de sortir, brusquement.

Monsieur Le Bret !

A Roxane.

Vous permettez ? Un mot.

Il va à Le Bret, et à mi-voix.

C'est vrai : nul n'oserait
Attaquer votre ami ; mais beaucoup l'ont en haine ;
Et quelqu'un me disait, hier, au jeu, chez la Reine :
« Ce Cyrano pourrait mourir d'un accident. »

LE BRET

Ah ?

LE DUC

Oui. Qu'il sorte peu. Qu'il soit prudent.

LE BRET, *levant les bras au ciel.*

Prudent !
Il va venir. Je vais l'avertir. Oui, mais !...

ROXANE, *qui est restée sur le perron, à une sœur
qui s'avance vers elle.*

Qu'est-ce ?

LA SŒUR

Ragueneau veut vous voir, Madame.

ROXANE

Qu'on le laisse
Entrer.

Au duc et à Le Bret.

Il vient crier misère. Étant un jour
Parti pour être auteur, il devint tour à tour
Chantre...

LE BRET

Étuviste [1]...

ROXANE

Acteur...

LE BRET

Bedeau...

ROXANE

Perruquier...

LE BRET

Maître

De théorbe...

ROXANE

Aujourd'hui, que pourrait-il bien être ?

RAGUENEAU, *entrant précipitamment.*

Ah ! Madame !

Il aperçoit Le Bret.

Monsieur !

ROXANE, *souriant.*

Racontez vos malheurs

A Le Bret. Je reviens.

RAGUENEAU

Mais, Madame...

*Roxane sort sans l'écouter, avec le duc. Il
redescend vers Le Bret.*

1. Personne qui s'occupe d'un établissement de bains. Ce terme n'est
plus en usage aujourd'hui.

SCÈNE III

LE BRET, RAGUENEAU.

RAGUENEAU

D'ailleurs,
Puisque vous êtes là, j'aime mieux qu'elle ignore !
– J'allais voir votre ami tantôt. J'étais encore
A vingt pas de chez lui... quand je le vois de loin,
Qui sort. Je veux le joindre. Il va tourner le coin
De la rue... et je cours... lorsque d'une fenêtre
Sous laquelle il passait – est-ce un hasard ?... peut-être ! –
Un laquais laisse choir une pièce de bois.

LE BRET

Les lâches !... Cyrano !

RAGUENEAU

J'arrive et je le vois...

LE BRET

C'est affreux !

RAGUENEAU

Notre ami, Monsieur, notre poète,
Je le vois, là, par terre, un grand trou dans la tête !

LE BRET

Il est mort ?

RAGUENEAU

Non ! mais... Dieu ! je l'ai porté chez lui.
Dans sa chambre... Ah ! sa chambre ! il faut voir ce réduit !

LE BRET

Il souffre ?

RAGUENEAU

Non, Monsieur, il est sans connaissance.

ROXANE, CYRANO et un moment, SŒUR MARTHE.

ROXANE, *sans se retourner.*

Qu'est-ce que je disais ?...

> *Et elle brode. Cyrano, très pâle, le feutre*
> *enfoncé sur les yeux, paraît. La sœur qui l'a*
> *introduit rentre. Il se met à descendre le per-*
> *ron lentement, avec un effort visible pour se*
> *tenir debout, et en s'appuyant sur sa canne.*
> *Roxane travaille à sa tapisserie.*

Ah ! ces teintes fanées...
Comment les rassortir ?

> *A Cyrano, sur un ton d'amicale gronde-*
> *rie.*

Depuis quatorze années,
Pour la première fois, en retard !

CYRANO, *qui est parvenu au fauteuil et s'est assis,*
d'une voix gaie contrastant avec son visage.

Oui, c'est fou !
J'enrage. Je fus mis en retard, vertuchou !...

ROXANE

Par ?

CYRANO

Par une visite assez inopportune.

ROXANE, *distraite, travaillant.*

Ah ! oui ! quelque fâcheux ?

CYRANO

Cousine, c'était une
Fâcheuse.

ROXANE

Vous l'avez renvoyée ?

Oui, j'ai dit :
Excusez-moi, mais c'est aujourd'hui samedi,
Jour où je dois me rendre en certaine demeure ;
Rien ne m'y fait manquer : repassez dans une heure.

ROXANE, *légèrement.*

Eh bien ! cette personne attendra pour vous voir :
Je ne vous laisse pas partir avant ce soir.

CYRANO, *avec douceur.*

Peut-être un peu plus tôt faudra-t-il que je parte.

*Il ferme les yeux et se tait un instant.
Sœur Marthe traverse le parc de la chapelle
au perron. Roxane l'aperçoit, lui fait un
petit signe de tête.*

ROXANE, *à Cyrano.*

Vous ne taquinez pas sœur Marthe ?

CYRANO, *vivement, ouvrant les yeux.*

Si !

Avec une grosse voix comique.

Sœur Marthe !

Approchez !

La sœur glisse vers lui.

Ha ! ha ! ha ! Beaux yeux toujours baissés !

SŒUR MARTHE, *levant les yeux en souriant.*

Mais...

*Elle voit sa figure et fait un geste d'éton-
nement.*

Oh !

CYRANO, *bas, lui montrant Roxane.*

Chut ! Ce n'est rien ! –

D'une voix fanfaronne. Haut.

Hier, j'ai fait gras.

SŒUR MARTHE

Je sais.

A part.

C'est pour cela qu'il est si pâle !

Vite et bas.

Au réfectoire
Vous viendrez tout à l'heure, et je vous ferai boire
Un grand bol de bouillon... Vous viendrez ?

CYRANO

Oui, oui, oui.

SŒUR MARTHE

Ah ! vous êtes un peu raisonnable, aujourd'hui !

ROXANE, *qui les entend chuchoter.*

Elle essaie de vous convertir.

SŒUR MARTHE

Je m'en garde !

CYRANO

Tiens, c'est vrai ! Vous toujours si saintement bavarde,
Vous ne me prêchez pas ? c'est étonnant, ceci !...

Avec une fureur bouffonne.

Sabre de bois ! Je veux vous étonner aussi !
Tenez, je vous permets...

*Il a l'air de chercher une bonne taquine-
rie, et de la trouver.*

Ah ! la chose est nouvelle ?...
De... de prier pour moi, ce soir, à la chapelle.

ROXANE

Oh ! oh !

CYRANO, *riant*.

Sœur Marthe est dans la stupéfaction !

SŒUR MARTHE, *doucement*.

Je n'ai pas attendu votre permission.

Elle rentre.

CYRANO, *revenant à Roxane, penchée sur son métier.*

Du diable si je peux jamais, tapisserie,
Voir ta fin !

ROXANE

J'attendais cette plaisanterie.

> *A ce moment, un peu de brise fait tomber*
> *les feuilles.*

CYRANO

Les feuilles !

ROXANE, *levant la tête, et regardant au loin, dans les allées.*

Elles sont d'un blond vénitien.
Regardez-les tomber.

CYRANO

Comme elles tombent bien !
Dans ce trajet si court de la branche à la terre,
Comme elles savent mettre une beauté dernière,
Et malgré leur terreur de pourrir sur le sol,
Veulent que cette chute ait la grâce d'un vol !

ROXANE

Mélancolique, vous ?

CYRANO, *se reprenant.*

Mais pas du tout, Roxane !

ROXANE

Allons, laissez tomber les feuilles de platane...
Et racontez un peu ce qu'il y a de neuf.
Ma gazette ?

CYRANO

Voici.

ROXANE

Ah !

CYRANO, *de plus en plus pâle, et luttant contre la douleur.*

Samedi, dix-neuf :
Ayant mangé huit fois du raisiné de Cette,
Le Roi fut pris de fièvre ; à deux coups de lancette
Son mal fut condamné pour lèse-majesté,
Et cet auguste pouls n'a plus fébricité [1] !
Au grand bal, chez la reine, on a brûlé, dimanche,
Sept cent soixante-trois flambeaux de cire blanche ;
Nos troupes ont battu, dit-on, Jean l'Autrichien ;
On a pendu quatre sorciers ; le petit chien
De madame d'Athis a dû prendre un clystère...

ROXANE

Monsieur de Bergerac, voulez-vous bien vous taire !

CYRANO

Lundi... rien. Lygdamire a changé d'amant.

ROXANE

Oh !

CYRANO, *dont le visage s'altère de plus en plus.*

Mardi, toute la cour est à Fontainebleau.
Mercredi, la Montglat dit au comte de Fiesque :
Non ! Jeudi : Mancini, reine de France, – ou presque !
Le vingt-cinq, la Monglat à de Fiesque dit : Oui ;
Et samedi, vingt-six...

Il ferme les yeux. Sa tête tombe. Silence.

ROXANE, *surprise de ne plus entendre se retourne,
le regarde, et se levant effrayée.*

Il est évanoui ?

Elle court vers lui en criant.

Cyrano !

CYRANO, *rouvrant les yeux, d'une voix vague.*

Qu'est-ce ?... Quoi ?...

1. Fièvre.

Il voit Roxane penchée sur lui et, vivement, assurant son chapeau sur sa tête et reculant avec effroi dans son fauteuil.

Non ! non ! je vous assure,
Ce n'est rien. Laissez-moi !

ROXANE

Pourtant...

CYRANO

C'est ma blessure
D'Arras... qui... quelquefois... vous savez...

ROXANE

Pauvre ami !

CYRANO

Mais ce n'est rien. Cela va finir.

Il sourit avec effort.

C'est fini.

ROXANE, *debout près de lui.*

Chacun de nous a sa blessure : j'ai la mienne.
Toujours vive, elle est là, cette blessure ancienne,

Elle met la main sur sa poitrine.

Elle est là, sous la lettre au papier jaunissant
Où l'on peut voir encor des larmes et du sang !

Le crépuscule commence à venir.

CYRANO

Sa lettre !... N'aviez-vous pas dit qu'un jour, peut-être,
Vous me la feriez lire ?

ROXANE

Ah ! vous voulez ?... Sa lettre ?

CYRANO

Oui... Je veux... Aujourd'hui...

ROXANE, *lui donnant le sachet pendu à son cou.*

Tenez !

CYRANO, *le prenant.*

Je peux ouvrir ?

ROXANE

Ouvrez... lisez !...

Elle revient à son métier, le replie, range
ses laines.

CYRANO, *lisant.*

« *Roxane, adieu, je vais mourir !* »

ROXANE, *s'arrêtant, étonnée.*

Tout haut ?

CYRANO, *lisant.*

« *C'est pour ce soir, je crois, ma bien-aimée !*
« *J'ai l'âme lourde encor d'amour inexprimée,*
« *Et je meurs ! jamais plus, jamais mes yeux grisés,*
« *Mes regards dont c'était...* »

ROXANE

Comme vous la lisez,

Sa lettre !

CYRANO, *continuant.*

« *... dont c'était les frémissantes fêtes,*
« *Ne baiseront au vol les gestes que vous faites :*
« *J'en revois un petit qui vous est familier*
« *Pour toucher votre front, et je voudrais crier...* »

ROXANE, *troublée.*

Comme vous la lisez, – cette lettre !

287

La nuit vient insensiblement.

CYRANO

    « *Et je crie :*

« *Adieu !...* »

ROXANE

  Vous la lisez...

CYRANO

   « *Ma chère, ma chérie,*

« *Mon trésor...* »

ROXANE, *rêveuse.*

  D'une voix...

CYRANO

   « *Mon amour !...* »

ROXANE

       D'une voix...

       Elle tressaille.

Mais... que je n'entends pas pour la première fois !

   Elle s'approche tout doucement, sans qu'il s'en aperçoive, passe derrière le fauteuil, se penche sans bruit, regarde la lettre. – L'ombre augmente.

CYRANO

« *Mon cœur ne vous quitta jamais une seconde,*
« *Et je suis et serai jusque dans l'autre monde*
« *Celui qui vous aima sans mesure, celui...* »

   ROXANE, *lui posant la main sur l'épaule.*

Comment pouvez-vous lire à présent ? Il fait nuit.

   Il tressaille, se retourne, la voit là tout près, fait un geste d'effroi, baisse la tête. Un

long silence. Puis, dans l'ombre complète-
ment venue, elle dit avec lenteur, joignant
les mains :

Et pendant quatorze ans, il a joué ce rôle
D'être le vieil ami qui vient pour être drôle !

CYRANO

Roxane !

ROXANE

C'était vous.

CYRANO

Non, non, Roxane, non !

ROXANE

J'aurais dû deviner quand il disait mon nom !

CYRANO

Non ! ce n'était pas moi !

ROXANE

C'était vous !

CYRANO

Je vous jure...

ROXANE

J'aperçois toute la généreuse imposture :
Les lettres, c'était vous...

CYRANO

Non !

ROXANE

Les mots chers et fous,
C'était vous...

CYRANO

Non !

ROXANE

La voix dans la nuit, c'était vous.

CYRANO

Je vous jure que non !

ROXANE

L'âme, c'était la vôtre !

CYRANO

Je ne vous aimais pas.

ROXANE

Vous m'aimiez !

CYRANO, *se débattant.*

C'était l'autre !

ROXANE

Vous m'aimiez !

CYRANO, *d'une voix qui faiblit.*

Non !

ROXANE

Déjà vous le dites plus bas !

CYRANO

Non, non, mon cher amour, je ne vous aimais pas !

ROXANE

Ah ! que de choses qui sont mortes... qui sont nées !
– Pourquoi vous être tu pendant quatorze années,
Puisque sur cette lettre où, lui, n'était pour rien
Ces pleurs étaient de vous ?

CYRANO, *lui tendant la lettre.*

Ce sang était le sien.

ROXANE

Alors pourquoi laisser ce sublime silence
Se briser aujourd'hui ?

CYRANO

Pourquoi ?...

Le Bret et Ragueneau entrent en courant.

SCÈNE VI

Les Mêmes, LE BRET et RAGUENEAU.

LE BRET

Quelle imprudence !
Ah ! j'en étais bien sûr ! il est là !

CYRANO, *souriant et se redressant.*

Tiens, parbleu !

LE BRET

Il s'est tué, Madame, en se levant !

ROXANE

Grand Dieu !
Mais tout à l'heure alors... cette faiblesse ?... cette ?...

CYRANO

C'est vrai ! je n'avais pas terminé ma gazette :
... Et samedi, vingt-six, une heure avant dîné,
Monsieur de Bergerac est mort assassiné.

*Il se découvre ; on voit sa tête entourée de
linges.*

ROXANE

Que dit-il ? – Cyrano ! – Sa tête enveloppée !...
Ah ! que vous a-t-on fait ? Pourquoi ?

CYRANO

« D'un coup d'épée,
Frappé par un héros, tomber la pointe au cœur ! »
– Oui, je disais cela !... Le destin est railleur !...
Et voilà que je suis tué dans une embûche,
Par-derrière, par un laquais, d'un coup de bûche !
C'est très bien. J'aurai tout manqué, même ma mort.

RAGUENEAU

Ah ! Monsieur !...

Ragueneau, ne pleure pas si fort !...

Il lui tend la main.

Qu'est-ce que tu deviens, maintenant, mon confrère ?

RAGUENEAU, *à travers ses larmes.*

Je suis moucheur de... de... chandelles, chez Molière.

CYRANO

Molière !

RAGUENEAU

Mais je veux le quitter, dès demain ;
Oui, je suis indigné !... Hier, on jouait *Scapin*,
Et j'ai vu qu'il vous a pris une scène !

LE BRET

Entière !

RAGUENEAU

Oui, Monsieur, le fameux : « Que diable allait-il faire ?... »

LE BRET, *furieux.*

Molière te l'a pris !

CYRANO

Chut ! chut ! Il a bien fait !...

A Ragueneau.

La scène, n'est-ce pas, produit beaucoup d'effet ?

RAGUENEAU, *sanglotant.*

Ah ! Monsieur, on riait ! on riait !

CYRANO

Oui, ma vie
Ce fut d'être celui qui souffle – et qu'on oublie !

A Roxane.

Vous souvient-il du soir où Christian vous parla
Sous le balcon ? Eh bien ! toute ma vie est là :
Pendant que je restais en bas, dans l'ombre noire,
D'autres montaient cueillir le baiser de la gloire !
C'est justice, et j'approuve au seuil de mon tombeau :
Molière a du génie et Christian était beau !

> *A ce moment, la cloche de la chapelle
> ayant tinté, on voit tout au fond, dans l'al-
> lée, les religieuses se rendant à l'office.*

Qu'elles aillent prier puisque leur cloche sonne !

ROXANE, *se relevant pour appeler.*

Ma sœur ! ma sœur !

CYRANO, *la retenant.*

Non ! non ! n'allez chercher personne !
Quand vous reviendriez, je ne serais plus là.

> *Les religieuses sont entrées dans la cha-
> pelle, on entend l'orgue.*

Il me manquait un peu d'harmonie... en voilà.

ROXANE

Je vous aime, vivez !

CYRANO

Non ! car c'est dans le conte
Que lorsqu'on dit : Je t'aime ! au prince plein de honte,
Il sent sa laideur fondre à ces mots de soleil...
Mais tu t'apercevrais que je reste pareil.

ROXANE

J'ai fait votre malheur ! moi ! moi !

CYRANO

Vous ?... au contraire !
J'ignorais la douceur féminine. Ma mère
Ne m'a pas trouvé beau. Je n'ai pas eu de sœur.
Plus tard, j'ai redouté l'amante à l'œil moqueur.

Je vous dois d'avoir eu, tout au moins, une amie.
Grâce à vous une robe a passé dans ma vie.

LE BRET, *lui montrant le clair de lune qui descend*
à travers les branches.

Ton autre amie est là, qui vient te voir !

CYRANO, *souriant à la lune.*

Je vois.

ROXANE

Je n'aimais qu'un seul être et je le perds deux fois !

CYRANO

Le Bret, je vais monter dans la lune opaline,
Sans qu'il faille inventer, aujourd'hui, de machine...

ROXANE

Que dites-vous ?

CYRANO

Mais oui, c'est là, je vous le dis,
Que l'on va m'envoyer faire mon paradis.
Plus d'une âme que j'aime y doit être exilée,
Et je retrouverai Socrate et Galilée !

LE BRET, *se révoltant.*

Non ! non ! C'est trop stupide à la fin, et c'est trop
Injuste ! Un tel poète ! Un cœur si grand, si haut !
Mourir ainsi !... Mourir !...

CYRANO

Voilà Le Bret qui grogne !

LE BRET, *fondant en larmes.*

Mon cher ami...

CYRANO, *se soulevant, l'œil égaré.*

Ce sont les cadets de Gascogne...
– La masse élémentaire... Eh oui ?... voilà le hic...

295

Sa science... dans son délire !

CYRANO

Copernic

A dit...

ROXANE

Oh !

CYRANO

Mais aussi que diable allait-il faire,
Mais que diable allait-il faire en cette galère ?...
Philosophe, physicien,
Rimeur, bretteur, musicien,
Et voyageur aérien,
Grand riposteur du tac au tac,
Amant aussi – pas pour son bien ! –
Ci-gît Hercule-Savinien
De Cyrano de Bergerac
Qui fut tout, et qui ne fut rien.
... Mais je m'en vais, pardon, je ne peux faire attendre :
Vous voyez, le rayon de lune vient me prendre !

Il est retombé, assis, les pleurs de Roxane
le rappellent à la réalité, il la regarde, et
caressant ses voiles :

Je ne veux pas que vous pleuriez moins ce charmant,
Ce bon, ce beau Christian, mais je veux seulement
Que lorsque le grand froid aura pris mes vertèbres,
Vous donniez un sens double à ces voiles funèbres,
Et que son deuil sur vous devienne un peu mon deuil.

ROXANE

Je vous jure !...

CYRANO, *est secoué d'un grand frisson*
et se lève brusquement.

Pas là ! non ! pas dans ce fauteuil !

On veut s'élancer vers lui.

– Ne me soutenez pas ! – Personne !

Il va s'adosser à l'arbre.

Rien que l'arbre !

Silence.

Elle vient. Je me sens déjà botté de marbre,
– Ganté de plomb !

Il se raidit.

Oh ? Mais ?... puisqu'elle est en chemin,
Je l'attendrai debout,

Il tire l'épée.

et l'épée à la main !

LE BRET

Cyrano !

ROXANE, *défaillante.*

Cyrano !

Tous reculent épouvantés.

CYRANO

Je crois qu'elle regarde...
Qu'elle ose regarder mon nez, cette Camarde [1] !

Il lève son épée.

Que dites-vous ?... C'est inutile ?... Je le sais !
Mais on ne se bat pas dans l'espoir du succès !
Non ! non, c'est bien plus beau lorsque c'est inutile !
– Qu'est-ce que c'est que tous ceux-là ! – Vous êtes mille ?
Ah ! je vous reconnais, tous mes vieux ennemis !
Le Mensonge ?

Il frappe de son épée le vide.

Tiens, tiens ! – Ha ! ha ! les Compromis,
Les Préjugés, les Lâchetés !...

Il frappe.

Que je pactise ?
Jamais, jamais ! – Ah ! te voilà, toi, la Sottise !
– Je sais bien qu'à la fin vous me mettrez à bas ;
N'importe : je me bats ! je me bats ! je me bats !

1. La mort (par allusion à son nez camard).

> *Il fait des moulinets immenses et s'arrête haletant.*

Oui, vous m'arrachez tout, le laurier et la rose !
Arrachez ! Il y a malgré vous quelque chose
Que j'emporte, et ce soir, quand j'entrerai chez Dieu,
Mon salut balaiera largement le seuil bleu,
Quelque chose que sans un pli, sans une tache,
J'emporte malgré vous,

> *Il s'élance l'épée haute.*

et c'est...

> *L'épée s'échappe de ses mains, il chancelle, tombe dans les bras de Le Bret et de Ragueneau.*

ROXANE, *se penchant sur lui et lui baisant le front.*

C'est ?...

CYRANO, *rouvre les yeux, la reconnaît et dit en souriant.*

Mon panache.

RIDEAU

Edmond Rostand

Cyrano de Bergerac

Supplément réalisé par
Camille Fabien,
Christian Biet,
Jean-Paul Brighelli,
Jean-Luc Rispail

Illustrations de Philippe Davaine

QUEL GENRE D'AMOUREUX – OU D'AMOUREUSE – ÊTES-VOUS ?

Pour les garçons

Seriez-vous prêt, tel Cyrano, à « déconfire une armée entière » à vous tout seul pour les doux yeux de votre belle ? Et si vous êtes une fille, auriez-vous, comme Roxane, le courage d'aller retrouver votre bien-aimé sur un champ de bataille en traversant les lignes ennemies ? Répondez le plus spontanément possible aux huit questions qui suivent si vous êtes un garçon, ou aux huit questions de la page 306 si vous êtes une fille. Comptez le nombre de ○, de △, et de ☆ que vous aurez obtenus puis vérifiez vos réponses en page des solutions. Vous saurez alors si vous avez un tempérament amoureux !

1. *Un violent orage éclate alors que vous rentrez chez vous. Vous êtes presque arrivé lorsqu'une jeune femme vous fait signe sous la pluie battante : sa voiture vient de tomber en panne et, de toute évidence, elle voudrait que vous l'aidiez à la pousser. Qu'allez-vous faire ?*
A. Pousser la voiture jusqu'au plus proche garage malgré la pluie ☆ ☆
B. Pousser la voiture le long du trottoir pour qu'elle ne gêne pas la circulation ☆ △
C. Expliquer à la jeune femme que vous avez un lumbago et que vous ne pouvez donc pousser sa voiture, mais lui indiquer le garage le plus proche ○ △
D. Passer votre chemin en faisant semblant de n'avoir rien vu ○ ○ ○

2. *La jeune fille que vous avez invitée à vous accompagner au cinéma vous a demandé de venir la chercher chez elle. Parvenu dans le hall de l'immeuble, vous vous apercevez qu'elle habite au 8ᵉ étage sans ascenseur. Que faites-vous ?*
A. Vous montez les escaliers quatre à quatre ☆ ☆
B. Vous montez les escaliers posément en faisant une halte à mi-chemin pour ne pas être trop essoufflé quand vous arriverez en haut △ ☆
C. Vous lui téléphonez d'une cabine en lui demandant de vous rejoindre en bas de son immeuble △ ○

3. *Vous êtes invité pour la première fois chez l'élue de votre cœur qui vous a préparé « un de ces petits plats dont elle a le secret », Vous voyez alors arriver dans votre assiette un morceau de viande informe baignant dans une sauce blanchâtre d'où s'élève une odeur de brûlé. Que faites-vous ?*

A. Réprimant un haut-le-cœur, vous attaquez la chose d'un air faussement réjoui en vous disant qu'après tout, c'est peut-être délicieux ☆ ☆

B. Le front quelque peu soucieux, vous demandez à votre hôtesse de quoi le plat est constitué, avant de vous aventurer à y goûter △ △

C. Vous déclarez que votre docteur vous a interdit les plats en sauce et que, d'ailleurs, vous êtes végétarien △ ○

4. *La camarade de classe dont vous venez de tomber amoureux possède une moto. Elle vous propose d'aller faire un tour à la campagne et vous montez derrière elle. Mais dès qu'elle démarre, vous vous apercevez qu'elle pilote son engin comme un cascadeur de cinéma, manquant à chaque instant de vous envoyer dans le décor. Quelle est votre réaction ?*

A. Vous insistez pour piloter vous-même en trouvant un prétexte quelconque pour ne pas la vexer △ △

B. Vous vous cramponnez en pensant qu'elle est sûrement un pilote hors pair et qu'il faut lui faire confiance ☆ ☆ ☆

C. Vous lui dites qu'après tout, la campagne est bien ennuyeuse en cette saison et vous lui suggérez plutôt d'aller voir le film qui se joue dans le cinéma le plus proche, même si vous l'avez déjà vu deux fois △ ○

5. *Bien que vous l'ayez emmenée voir un excellent film, votre petite amie vous paraît renfrognée et maussade. Vous vous rappelez alors avec horreur qu'aujourd'hui est le jour de son anniversaire : vous l'aviez complètement oublié ! Comment allez-vous rattraper la situation ?*

A. Vous la conduisez dans un grand magasin et vous lui annoncez que pour son anniversaire, vous avez décidé de lui offrir l'objet qu'elle aura elle-même choisi △ △

B. Vous vous arrangez pour passer devant la boutique d'un fleuriste et vous lui offrez un ravissant bouquet en lui souhaitant un bon anniversaire ☆ △

C. « Au fait, quel âge ça te fait, aujourd'hui ? » lui demandez-vous d'un ton détaché ○ ○ ○

D. Oublier son anniversaire ? Cela vous paraît impossible : vous êtes incapable de commettre une telle négligence ! ☆ ☆ ☆

6. *Vous vous promenez au bord d'une rivière en compagnie de votre bien-aimée lorsqu'un soudain coup de vent emporte le châle de soie qu'elle avait négligemment jeté sur ses épaules. La précieuse étoffe tombe à l'eau et s'éloigne au fil du courant. Que faites-vous ?*

A. « Voilà ce qui arrive quand on ne fait pas attention à ses affaires ! » déclarez-vous d'un ton sentencieux ○

B. « Ce n'est pas grave, dites-vous, je t'en achèterai un autre », et vous poursuivez votre chemin ○ △

C. Vous plongez aussitôt dans la rivière pour aller récupérer le châle ☆ ☆

D. Vous vous efforcez de dénicher une longue branche à l'aide de laquelle vous pourrez attraper le châle sans vous mouiller ☆ △

7. *Laquelle de ces fleurs offririez-vous plus volontiers à celle que vous aimez ?*

A. Un narcisse ○ ○

B. Une orchidée ☆ △

C. Du lilas ☆ ☆

8. *En raccompagnant votre petite amie chez elle, vous passez devant un pavillon gardé par un énorme berger allemand qui aboie à pleins poumons en se jetant contre la clôture du jardin. Apparemment, rien ne lui ferait plus plaisir que de vous dévorer tous les deux. Soudain, le molosse surexcité parvient à passer par-dessus la clôture et se précipite à votre poursuite. Quelle est votre réaction ?*

A. Vous prenez votre amie par la main et vous courez à toutes jambes en quête d'un abri sûr ☆ △

B. Vous appelez au secours en espérant que quelqu'un viendra vous tirer de ce mauvais pas ○ △

C. Vous vous placez devant votre amie et vous lui criez de s'enfuir pendant que vous affronterez le fauve ☆ ☆ ☆

D. Pris de panique, vous vous enfuyez sans occuper de ce qui se passe derrière vous ○ ○ ○

Solutions page 332

Pour les filles

1. *Le garçon avec qui vous avez rendez-vous est en retard : comment réagissez-vous ?*

A. Vous attendez patiemment : les garçons sont toujours en retard ☆ △

B. Vous vous inquiétez : il lui est peut-être arrivé quelque chose ☆ ☆

C. Vous partez aussitôt : seules les filles ont le droit d'être en retard à un rendez-vous ○ ○

2. *Le garçon avec lequel vous sortez a un grave défaut : il porte une admiration éperdue à une chanteuse qui a le don de vous exaspérer. Or, la chanteuse en question doit donner un concert dans votre ville la semaine suivante. Bien entendu, il vous propose d'y aller avec lui. Que décidez-vous ?*

A. Vous acceptez aussitôt en vous disant qu'après tout, rien n'est plus important que de lui faire plaisir ☆ ☆ ☆

B. Vous acceptez avec un enthousiasme apparent, mais vous mûrissez secrètement un plan pour essayer d'échapper à la corvée le moment venu △ △ ○

C. Vous refusez catégoriquement de l'accompagner, même s'il y a de fortes chances pour qu'il invite une autre fille à votre place △ ○ ○

3. *Le garçon dont vous êtes amoureuse vient de se faire offrir une moto par ses parents. Il propose de vous emmener faire un tour, et vous acceptez volontiers. La promenade n'est cependant pas de tout repos : il pilote en effet comme un cascadeur de cinéma, accumulant les imprudences pour essayer de vous impressionner. Quelle est votre réaction ?*

A. Bien que vous ne soyez pas très rassurée, vous décidez de ne rien dire et de lui faire confiance ; c'est peut-être un futur champion ☆ ☆ ☆

B. Vous exigez qu'il vous laisse descendre immédiatement : s'il veut faire le malin, qu'il le fasse tout seul △ △

C. Vous lui avouez que vous avez peur et vous lui demandez de ralentir : tant pis s'il vous prend pour une froussarde ☆ △

D. « Tu ne pourrais pas aller un peu plus vite ? On se traîne ! » lui lancez-vous d'un ton narquois △ ○ ○

4. *Parmi les cadeaux qu'un garçon pourrait vous offrir, choisissez dans la liste suivante celui qui vous plairait le plus :*

A. Un somptueux bouquet de roses ☆

B. Un sac à main △

C. Un bijou △ △

D. Un animal de compagnie ☆ ☆
E. Une boîte de chocolats ☆ △
F. Un poème qu'il a écrit pour vous ☆ ☆ △
G. Une photo de lui ☆ ☆ ☆

5. *Une bagarre éclate dans la cour du lycée. En vous approchant, vous vous apercevez que l'un des deux adversaires n'est autre que le garçon pour qui vous avez toujours eu un faible sans avoir jamais osé le lui dire. Que faites-vous ?*
A. Vous assistez à la scène sans intervenir : si c'est lui qui perd, vous soignerez ses blessures. S'il gagne, vous irez le féliciter. Dans l'un et l'autre cas, il vous remarquera enfin △ △
B. Vous vous interposez aussitôt : vous ne pouvez pas supporter qu'il prenne le risque d'être blessé ☆ ☆
C. Vous décidez de ne plus vous intéresser à ce garçon : vous n'avez aucune intention de fréquenter quelqu'un qui se donne ainsi en spectacle △ ○

6. *Parmi les femmes suivantes, laquelle auriez-vous aimé être ?*
A. Jeanne d'Arc △ ☆
B. Simone de Beauvoir △ △
C. Marilyn Monroe ☆ ☆ ☆
D. Margaret Thatcher ○ ○ ○
E. Marie Curie △ △ ☆
F. Calamity Jane ☆ ○ ○

7. *Choisissez dans la liste suivante les trois qualités que vous jugez essentielles chez un garçon et faites le compte des symboles correspondants :*
A. La beauté ☆ △
B. L'imagination ☆ ☆
C. La sensibilité ☆ ☆ ☆
D. L'intelligence △ △
E. La générosité ☆ △
F. La force physique ○
G. La richesse ○ ○
H. L'humour △ △ ☆
I. Le courage ☆ ☆ △

8. *Le garçon que vous aimez ne supporte que les climats froids. Il a décidé de passer ses vacances en Islande et vous invite à l'accompagner. Que faites-vous ?*
A. Vous acceptez sans hésiter : après tout, les pays nordiques ont aussi leur charme et, d'ailleurs, le soleil est très mauvais pour la peau ☆ ☆ ☆
B. Vous lui suggérez plutôt d'aller en Hollande : c'est également au nord, mais le climat y est quand même moins rigoureux ☆ △
C. Vous aimez trop le soleil pour accepter pareille proposition ; c'est à lui de faire un effort et de vous suivre là où vous avez envie d'aller : en Sicile △ ○ ○
D. Vous rompez aussitôt : jamais vous ne pourrez vous entendre avec quelqu'un qui déteste le soleil ○ ○ ○

Solutions page 333

1
AU FIL DU TEXTE

ACTE I

Douze questions pour commencer

Pour savoir si vous avez bien lu le premier acte, répondez aux questions suivantes, puis reportez-vous à la page des solutions.

Bien entendu, vous devrez répondre aux questions sans consulter le texte !

1. *Le premier acte de Cyrano de Bergerac se déroule :*
A. A l'hôtel de Sens
B. A l'hôtel de Bourgogne
C. A l'hôtel du Nord

2. *Le rôtisseur ami des poètes s'appelle :*
A. Rappeneau
B. Raveneau
C. Ragueneau

3. *Le nom complet de Cyrano est :*
A. Cyrano Saturnin-Tibulle
B. Cyrano Sébastien-Catulle
C. Cyrano Savinien-Hercule

4. *Christian, qui n'a d'yeux que pour Roxane, doit quitter à contrecœur le théâtre :*
A. Car il est l'heure de rejoindre son régiment
B. Pour prévenir son ami Lignière qu'on lui a tendu un guet-apens
C. Pour se lancer à la poursuite d'un tire-laine qui vient de lui voler sa bourse

5. *Le comte de Guiche, amoureux de Roxane, est lui-même marié à la nièce de :*
A. Richelieu
B. Louis XIII
C. Pierre Corneille

6. *Dans la célèbre tirade des nez, Cyrano s'écrie :*
A. Le voilà donc ce nez qui fait rougir son maître ! Il faudrait à l'instant le fusiller, le traître !
B. Le voilà donc ce nez : il a rougi, le traître ! C'est la honte d'avoir défiguré son maître !
C. Le voilà donc ce nez qui des traits de son maître a détruit l'harmonie ! Il en rougit, le traître !

7. *Lors du duel qui l'oppose au vicomte, Cyrano répète à la fin de chaque strophe de sa ballade :*
A. A la fin du tournoi, je touche
B. A la fin de l'envoi, je touche
C. A la fin de l'envoi, je fais mouche

8. *Le duel terminé, la distributrice propose à Cyrano à manger et à boire. Celui-ci accepte :*
A. La moitié d'un macaron, un peu de vin et une olive
B. Un grain de raisin, un verre d'eau, une orange
C. Un grain de raisin, un verre d'eau, la moitié d'un macaron

9. *Cyrano a pour seules ressources financières :*
A. La pension que lui verse son père
B. Sa solde de militaire
C. Ce qu'il gagne en monnayant ses poèmes

10. *Après son duel, Cyrano est félicité par un autre « bretteur » aussi célèbre que lui. Comment s'appelle-t-il ?*
A. Pardaillan
B. D'Artagnan
C. Lagardère

11. *Lorsque Cyrano confie à Le Bret qu'il est amoureux de Roxane, ce dernier lui conseille :*
A. De renoncer à cet amour, car de Guiche, qui aime aussi Roxane, est un seigneur trop puissant pour qu'on prenne le risque de lui déplaire
B. D'avouer son amour à Roxane
C. D'essayer de savoir si Roxane l'aime également

12. *A son ami Le Bret, qui s'inquiète de le voir se mettre sans cesse sur les bras de nouveaux ennemis, Cyrano répond :*
A. J'ai décidé d'être admirable, en tout, pour tout !
B. Il m'importe bien peu qu'on me traite de fou !
C. Des ennemis, dis-tu ? Mais j'en veux, et beaucoup !

Solutions page 334

Z... à la fin !

Le mot « nez » présente une particularité peu répandue dans la langue française : il se termine par la lettre « z ». Voici une grille de mots croisés dont tous les mots, précisément, se terminent par « z ». Remplissez-la et vous pourrez lire alors dans la colonne marquée d'une flèche le nom d'un personnage de roman qui n'aurait sans doute pas déplu à Cyrano !

1. Son odeur est inquiétante – 2. Une musique qui nous vient des États-Unis – 3. Couvre-chef oriental – 4. Il est parfois complet – 5. Ça suffit !

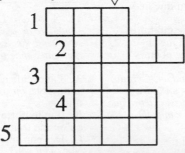

A vue de nez

Il existe en français de nombreuses expressions comportant le mot « nez » (à vue de nez, mettre son nez dans les affaires d'autrui, etc.). Essayez de trouver cinq de ces expressions, puis composez un texte d'une dizaine de lignes dans lequel vous les emploierez toutes – à bon escient, bien sûr !

Rébus

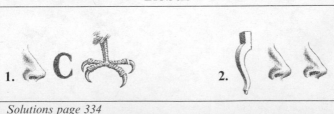

1.　　　　　　　　　　2.

Solutions page 334

Nez en moins

A propos de nez, voici cinq personnages qui ont perdu le leur. Tous les cinq ont vécu au XVIIᵉ siècle, le siècle de Cyrano. Rendez son nez à chacun, puis essayez de retrouver qui est qui en vous aidant de la liste ci-dessous :
Molière – Corneille – La Fontaine – Mme de Sévigné – Richelieu

1.

2.

3.

v   w   x   y   z

5.

4.

Solutions page 334

Tendez l'oreille

La tirade des nez est devenue l'une des grandes scènes classiques du théâtre. Mais imaginons maintenant que Cyrano, au lieu d'un grand nez, ait été affublé d'immenses oreilles, quelle aurait été alors cette tirade ? Essayez de l'imaginer, d'abord en prose, puis peut-être en alexandrins si vous vous sentez en verve. Pour vous aider, voici un exemple de ce que l'on pourrait écrire :

« (...) Ah ! Non ! C'est un peu court, jeune homme !
On pouvait dire... Oh ! Dieu !... bien des choses en somme.
En variant le ton, – par exemple, voyons :
Agressif : « Si j'avais semblables pavillons,
Je me les trancherais pour qu'ils soient mis en berne ! »
Amical : « Monsieur, ces deux vantaux qui vous cernent
Seraient mieux employés en servant de portail ! »
Descriptif : « C'est, dirais-je, un étrange attirail
Dont l'ombre suffirait à noircir la Gascogne... »

ACTES II et III

Dix questions pour continuer

Procédez comme pour le test de mémoire de l'acte I. Répondez aux questions qui suivent – sans consulter le livre – puis reportez-vous à la page des solutions pour vérifier si vos réponses sont bonnes.

1. *Pour faire plaisir à Ragueneau, l'un de ses apprentis a préparé une pâtisserie en forme de :*
A. Luth
B. Livre
C. Lyre

2. *La femme de Ragueneau, a fabriqué des sacs avec :*
A. Les poèmes offerts à son mari par ses amis poètes
B. Des dessins offerts par ses amis peintres
C. Des partitions offertes par ses amis musiciens

3. *Alors que Cyrano est assailli de toutes parts par ceux qui veulent le féliciter de l'exploit qu'il a accompli à la porte de Nesle, un homme de lettres dont le nom est resté célèbre dans l'histoire vient lui poser des questions. Qui est cet homme ?*
A. Voiture, le poète précieux
B. La Bruyère, auteur des *Caractères*
C. Théophraste Renaudot, inventeur du journalisme

4. *Roxane avoue à Cyrano qu'elle aime Christian :*
A. Parce qu'elle voudrait que Cyrano le lui fasse savoir
B. Pour qu'il protège Christian au sein du régiment des cadets de Gascogne
C. Pour qu'il essaye de savoir si Christian l'aime aussi

5. *Éblouie par la beauté de Christian, Roxane en est tombée amoureuse. Et lorsque Cyrano lui objecte que, tout beau qu'il soit, il est peut-être sot, Roxane répond :*
A. Que peu lui importe
B. Qu'elle lui apprendra à ne plus l'être
C. Qu'elle en mourrait s'il en était ainsi

6. *Dans sa tirade sur les cadets de Gascogne, Cyrano présente ces derniers en leur donnant les sobriquets de :*
A. Pique-Bedaine et Perce-Trogne
B. Tranche-Bedaine et Brise-Trogne
C. Perce-Bedaine et Casse-Trogne

7. *Lorsque de Guiche propose à Cyrano de le prendre sous sa protection et de le recommander au cardinal de Richelieu, Cyrano refuse net. De Guiche le compare alors :*
A. Au chevalier Lancelot
B. A Don Quichotte
C. A d'Artagnan

8. *Devant Le Bret qui s'inquiète de son intransigeance, Cyrano s'écrie :*
A. Déplaire est mon plaisir. J'aime qu'on me haïsse
B. Me battre est mon plaisir. Mieux : c'est mon seul délice
C. Fâcher est mon plaisir. J'aime qu'on me maudisse

9. *Lorsque Roxane, sur son balcon, accorde un baiser à Christian, les deux amoureux sont interrompus :*
A. Par le comte de Guiche
B. Par un capucin
C. Par la duègne de Roxane

10. *Quel moyen Cyrano adopte-t-il pour atteindre la lune ?*
A. Il s'est plongé dans l'eau de mer et a attendu que la lune l'attire vers elle
B. Il s'est assis sur un plateau de fer, puis a lancé en l'air un aimant qui a soulevé le plateau
C. Il a soufflé de la fumée dans un globe auquel il s'est accroché. La fumée, en montant dans l'atmosphère, l'a emporté

Solutions page 334

Ah ? Ah ! Ah...

Lorsque Roxane commence à parler de l'homme qu'elle aime à Cyrano, ce dernier croit tout d'abord qu'il s'agit de lui. Paralysé par l'émotion, il ne peut que répondre « ah » à chacune des répliques de la jeune femme. Sur scène, un comédien peut donner à chacun de ces « ah » une nuance différente qui apportera à cette simple exclamation une signification particulière. Essayez vous-même de jouer cette scène en vous efforçant de changer d'intonation à chaque « ah ». Pour vous aider, vous pourrez dans un premier temps adjoindre au mot « ah » d'autres mots qui en précisent le sens. Par exemple, le premier « ah » deviendrait « ah bon ? », le deuxième « ah, je comprends... », le troisième « ah oui, bien sûr... ». Vous pouvez également jouer sur la durée de ces « ah » : parfois, ils seront longs, d'autres fois brefs. Parfois, vous les direz d'une voix forte, d'autres fois, vous les murmurerez. A vous d'exprimer le plus de nuances possibles en fonction de l'idée que vous vous faites des réactions de Cyrano au cours de cette scène.

Rébus

1.   2.

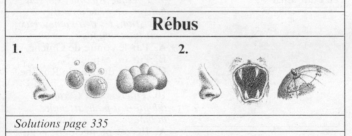

Solutions page 335

Paroles de Gascons

« Perce-Bedaine et Casse-Trogne sont leurs sobriquets les plus doux », dit Cyrano dans sa tirade sur les cadets de Gascogne. En prenant pour modèle ces deux mots « perce-bedaine » et « casse-trogne », essayez de trouver d'autres sobriquets qui pourraient s'appliquer aux Gascons. Par exemple, « vide-bouteille et croque-lard », quand ils sont gourmands, « chante-fredaine et brise-cœur » lorsqu'ils sont galants. A votre avis, comment pourrait-on les surnommer lorsqu'ils sont joyeux, en colère, farceurs, etc. ? A vous de faire preuve d'imagination !

Trouvez l'acrostiche !

« Je veux faire un pentacrostiche sur votre nom... » s'exclame un poète en se précipitant sur Cyrano à la scène VII de l'acte II. Un acrostiche est un petit poème (de cinq vers lorsqu'il s'agit d'un pentacrostiche) dont les lettres initiales des vers qui le composent forment un nom ou une petite phrase lorsqu'on les lit de haut en bas. Voici un exemple d'acrostiche. On ne connaît malheureusement pas le nom de son auteur, on sait simplement qu'il s'agissait d'un homme au gousset vide qui écrivit ce poème à Louis XIV en espérant que le roi lui ferait donner quelques louis d'or en récompense de son esprit :

> **L**ouis est un héros sans peur et sans reproche.
> **O**n désire le voir. Aussitôt qu'on l'approche,
> **U**n sentiment d'amour enflamme tous les cœurs :
> **I**l ne trouve chez nous que des adorateurs ;
> **S**on image est partout, excepté dans ma poche.

De haut en bas, les premières lettres du poème forment ainsi le nom de « Louis ». Mais il arrive parfois qu'au hasard des vers apparaissent des acrostiches involontaires. Il en existe par exemple dans Cyrano. Voici, extrait de l'acte II, deux groupes de vers dont les premiers mots ont été omis. Retrouvez ces deux passages dans le texte, et lisez de haut en bas les premières lettres de ces vers. Vous découvrirez alors un ingrédient indispensable à la vie et un chiffre.

1. ... glisse l'argent de l'aube !
     ... qui chante, Ragueneau !
     ... c'est l'heure du fourneau !

2. ... de peur que cela ne les trouble ;
     ... me donne un plaisir double,
     ... un doux faible que j'ai
     ... ceux qui n'ont pas mangé ?

Lorsque vous aurez trouvé la réponse, pourquoi ne pas essayer de composer vous-même un acrostiche ? Sur votre nom, par exemple ? Il n'est pas nécessaire que vos vers riment pour qu'ils soient jolis ou drôles.

Solutions page 335

Le festin

Voici une rôtisserie qui pourrait être celle de Ragueneau. Mais le dessinateur a privé les convives de leurs victuailles. Sauriez-vous rendre à chacun ce qu'il était en train de manger ou de boire ?

Solutions page 335

Voyage dans la Lune

Cyrano de Bergerac n'est pas né dans l'imagination d'Edmond Rostand. Le personnage a bel et bien existé : c'était un écrivain qui a laissé entre autres œuvres un ouvrage intitulé *L'Autre Monde ou les États et Empires de la Lune*. Dans ce livre, le vrai Cyrano expose sur le mode fantaisiste les moyens qu'il a trouvés d'atteindre notre satellite. En voici un, qu'Edmond Rostand a repris dans sa pièce :

« Je m'étais attaché autour de moi quantité de fioles pleines de rosée, et la chaleur du soleil qui les attirait m'éleva si haut qu'à la fin je me trouvai au-dessus des plus hautes nuées. Mais comme cette attraction me faisait monter avec trop de rapidité, et qu'au lieu de m'approcher de la Lune, comme je le prétendais, elle me paraissait plus éloignée qu'à mon départ, je cassai plusieurs de mes fioles, jusqu'à ce que je sentis que ma pesanteur surmontait l'attraction et que je descendais vers la terre. »

Aujourd'hui, d'autres moyens plus efficaces d'aller sur la Lune ont été découverts, et notre satellite n'a plus guère de secrets pour nous. Mais au fait, vous-même, que savez-vous de la Lune ? Voici cinq questions qui vous permettront de mesurer vos connaissances.

1. Quelle est la distance moyenne de la Terre à la Lune ?
A. 384 000 kilomètres
B. 573 000 kilomètres
C. 857 000 kilomètres

2. Quel est le diamètre de la Lune ?
A. 8 724 kilomètres
B. 6 507 kilomètres
C. 3 473 kilomètres

3. Au moment de la nouvelle lune, quelle est sa position dans le ciel ?
A. Elle se trouve entre le Soleil et la Terre
B. Elle se trouve à l'opposé du Soleil par rapport à la Terre
C. Elle se trouve juste au-dessus de l'équateur

4. Quelle est l'altitude des plus hauts sommets existant à la surface de la Lune ?
A. Plus de 2 000 mètres
B. Plus de 3 500 mètres
C. Plus de 8 000 mètres

5. En pleine nuit lunaire, quelle est la plus basse température à la surface de la Lune ?
A. − 50 °C
B. − 90 °C
C. − 150 °C

Solutions page 335

Mots croisés dans l'espace

Voici une grille de mots croisés qui a pour thème le cosmos, si cher au cœur de Cyrano.

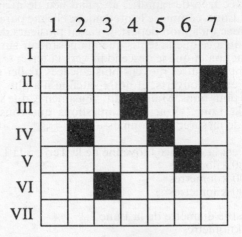

Horizontalement :

I. Une planète qui porte le nom d'un dieu marin – II. Nom d'un engin qui amena l'homme sur la Lune – III. Y en a-t-il ailleurs que sur la Terre ? Elle existe aussi sur la Lune, mais sans eau – IV. Possessif. On le donne pour être dans le ton – V. Se trouve sur chaque astéroïde – VI. Indispensable pour dessiner un plan. C'est grâce à lui que le radar fonctionne – VII. C'en est une grande que d'aller sur la Lune !

Verticalement :

1. Le jour où elle ne revint pas, ce fut une catastrophe – 2. Le professeur Nimbus en a un sur le crâne. Début de révolution – 3. La Lune est son astre préféré, dit-on – 4. Dans les étoiles. On dit qu'elles s'élèvent dans le ciel lorsqu'il est temps de partir à tout jamais – 5. Il n'est pas suffisant pour atteindre la Lune, mais il permet quand même de s'envoler. L'acier, à son début – 6. Une époque où les étoiles ont une grande importance. Exclamation – 7. Il vient de très loin, lorsqu'il est cosmique.

Solutions page 335

ACTE IV

Dix questions pour conclure

Voici un dernier test de mémoire pour savoir si vous avez bien lu l'acte IV. Comme précédemment, répondez aux questions, puis reportez-vous à la page des solutions pour vérifier vos réponses.

1. *Le quatrième acte se déroule pendant le siège :*
A. De Calais
B. De Dunkerque
C. D'Arras

2. *Au début de l'acte, on apprend que Cyrano quitte, « à chaque jour levant », le camp des cadets. Que fait-il au cours de ces escapades ?*
A. Il va porter des lettres destinées à Roxane
B. Il essaye de trouver du ravitaillement
C. Il espionne les lignes adverses

3. *« J'ai deux morts à venger », s'exclame Cyrano en se lançant à l'assaut de l'ennemi :*
A. Christian et mon bonheur
B. Christian et son amour
C. Christian et l'espérance

4. *A l'insu de Christian, mais en signant toujours du nom de celui-ci, Cyrano n'a pas cessé d'écrire à Roxane tandis que se déroulait le siège. A quelle fréquence a-t-il écrit ?*
A. Cinq fois par semaine
B. Une fois par jour
C. Deux fois par jour

5. *Roxane a voulu à tout prix rejoindre Christian sur le champ de bataille. Pour quelle raison, exactement ?*
A. Pour lui apporter de quoi manger, car elle savait que la famine régnait chez les Gascons
B. Parce qu'elle estime que la place d'une femme est aux côtés de son mari, quelles que soient les circonstances
C. Parce que les lettres qu'elle a reçues l'ont tellement bouleversée qu'elle n'a pas pu supporter de rester loin de lui

6. *L'amour de Roxane pour Christian s'est transformé. A présent, elle l'aime moins pour sa beauté que :*
A. Pour son courage
B. Pour son âme
C. Pour son intelligence

7. *Lorsque de Guiche revient au camp alors que les Gascons sont en train de festoyer, tout le monde range aussitôt rôtis, gigots et bouteilles pour ne rien partager avec ce personnage détesté. Mais, quelques minutes plus tard, les Gascons changent d'attitude et sont prêts à l'inviter à leurs agapes. Pour quelle raison ?*

A. Parce qu'il a fait preuve de courage en décidant de rester sur le champ de bataille

B. Parce qu'il a demandé humblement qu'on lui donne quelque chose à manger

C. Parce que Roxane, émue par son teint livide, a parlé en sa faveur

8. *Au cours du siège, les Français sont en guerre contre :*
A. Les Prussiens
B. Les Espagnols
C. Les Anglais

9. *Cyrano, encouragé par Christian, est sur le point d'avouer à Roxane qu'il est l'auteur des lettres qu'elle a reçues. Mais, au dernier moment, il décide de ne rien dire du tout. Pourquoi ?*

A. Parce que les Espagnols viennent d'attaquer et qu'il doit aller au combat

B. Parce qu'il a peur que Roxane lui en veuille de l'avoir ainsi trompée sur la provenance des lettres

C. Parce que Christian vient de mourir, tué par l'ennemi

10. *Lorsque de Guiche fait son apparition, comment réagissent les Gascons ?*
A. Ils se précipitent sur lui pour se plaindre de n'avoir rien à manger
B. Ils l'accueillent dans la plus parfaite indifférence, continuant à jouer, à lire ou à fumer, comme s'il n'était pas là
C. Ils se mettent à le huer, l'empêchant de parler

Solutions page 336

ACTE V

Détournement de vers

Sabre de bois ! Je veux un pruneau de la tarte !
Allons, laissez tomber ! C'est très vilain, sœur Marthe !
Oui, je suis indigné et je vous ferai boire
– Non, pas dans ce fauteuil ! En bas, dans l'ombre noire !
Un grand bol de bouillon une heure avant dîné
Pendant quatorze années !

Ce texte a été composé à l'aide d'hémistiches (c'est-à-dire de moitiés de vers) pris dans l'acte V de Cyrano. Essayez de retrouver, pour chaque hémistiche, le vers d'origine, puis, si le jeu vous amuse, efforcez-vous d'imaginer à votre tour un petit poème en procédant de la même manière et en choisissant vos hémistiches où bon vous semblera dans la pièce. Ne vous préoccupez pas de la rime : l'exercice sera plus simple !

Solutions page 337

Mots croisés

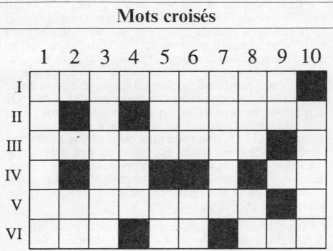

Horizontalement :

I. Fait-il des pâtés en écrivant ses vers ? – II. Son baiser est précieux – III. Le cardinal de Richelieu en était une – IV. Quand il est devant, c'est qu'il était noble. Note – V. Le prestige de Cyrano n'a pas besoin de l'être – VI. Il a eu chaud. Personnel. Apparue.

Verticalement :

1. Sont du côté de Cyrano – 2. Participe – 3. Berné dans l'acte III – 4. Répondit par la négative – 5. Période. Vont souvent avec les coutumes – 6. Cyrano le dit souvent. Personnel – 7. Cyrano a tendance à en commettre, d'après son ami Le Bret – 8. Dans les parages. Préposition – 9. Article – 10. Si Cyrano en avait fondé une, ses élèves y auraient appris beaucoup de choses !

Solutions page 337

Lettre d'injures

Montfleury, le comédien que Cyrano déteste tant, a bel et bien existé, et le vrai Cyrano le haïssait si cordialement qu'il lui écrivit une lettre d'injures dont voici le début :

« Gras Montfleury,

« Enfin, je vous ai vu. Mes prunelles ont achevé sur vous de grands voyages ; et le jour que vous éboulâtes corporellement jusqu'à moi, j'eus le temps de parcourir votre hémisphère ou, pour parler plus véritablement, d'en découvrir quelques cantons. Mais comme je ne suis pas tout seul les yeux de tout le monde, permettez que je donne votre portrait à la postérité, qui sera sans doute bien aise un jour de savoir comment vous étiez fait. On saura donc, en premier lieu, que la Nature qui vous ficha une tête sur la poitrine ne voulut pas expressément y mettre de col (...) ; que votre âme est si grosse qu'elle servirait bien de corps à une personne un peu déliée ; que vous avez ce qu'aux hommes on appelle la face, si fort au-dessous des épaules, et ce qu'on appelle les épaules si fort au-dessous de la face, que vous semblez un saint Denys portant son chef entre ses mains. »

En vous inspirant du ton de ces amabilités et du langage de Cyrano sous la plume d'Edmond Rostand, sauriez-vous rédiger une lettre d'injures que Cyrano de Bergerac enverrait au comte de Guiche ? Elle pourrait commencer ainsi :

Sinistre Comte,

Vous n'avez d'autre gloire que d'être le neveu – et encore, par alliance ! – d'un cardinal dont le nom à lui seul suffit, aux yeux des sots, à donner quelque éclat à votre insignifiance. Officier sans panache, vous ne connaissez des batailles que le récit qu'en ont fait ceux qui attaquaient à votre place tandis que vous teniez soigneusement à l'écart de la mitraille cette piètre carcasse que vous êtes le seul à vouloir préserver.

A vous de continuer ! Mais vous pouvez, si vous le désirez, choisir un autre destinataire, un « faux noble », un « faux dévot », un « faux brave », un « plagiaire », tous ces ennemis de Cyrano que cite Le Bret.

2
AMOUR ET BRAVOURE DANS LA LITTÉRATURE

Roméo et Juliette

Dans la ville de Vérone, en Vénétie, une haine ancestrale oppose deux familles : les Montague et les Capulet. Venu masqué à un bal donné par les Capulet, Roméo Montague, ébloui par la beauté de Juliette Capulet, est tombé amoureux de cette dernière. Cet amour est partagé, mais l'hostilité entre les deux familles le condamne d'avance. Roméo, après la fête, pénètre dans le jardin des Capulet. Juliette est à son balcon. Elle n'a pas vu le jeune homme. Voici donc une autre « scène du balcon », tout aussi célèbre que celle de Cyrano.

SCÈNE II
Le jardin de Capulet. Sous les fenêtres de l'appartement de Juliette

Entre ROMÉO.

ROMÉO. – Il se rit des plaies, celui qui n'a jamais reçu de blessure ! *(Apercevant Juliette qui apparaît à une fenêtre.)* Mais doucement ! Quelle lumière jaillit par cette fenêtre ? Voilà l'Orient, et Juliette est le soleil ! Lève-toi, belle aurore, et tue la lune jalouse, qui déjà languit et pâlit de douleur, parce que toi, sa prêtresse, tu es plus belle qu'elle-même ! Ne sois plus sa prêtresse, puisqu'elle est jalouse de toi ; sa livrée de vestale est maladive et blême, et les folles seules la portent : rejette-la !... Voilà ma dame ! Oh ! Oh ! voilà mon amour ! Oh ! si elle pouvait le savoir !... Que dit-elle ? Rien... Elle se tait... Mais non ; son regard parle, et je veux lui répondre... Ce n'est pas à moi qu'elle s'adresse. Deux des plus belles étoiles du ciel, ayant affaire ailleurs, adjurent ses yeux de vouloir bien resplendir dans leur sphère jusqu'à ce qu'elles reviennent. Ah ! si les étoiles se substituaient à ses yeux, en même temps que ses yeux aux étoiles, le seul éclat de ses joues ferait pâlir la clarté des astres, comme le grand jour, une lampe ; et ses yeux, du haut du ciel, darderaient une telle lumière à travers les régions aériennes, que les oiseaux chanteraient, croyant que la nuit n'est plus. Voyez comme elle appuie sa joue sur sa main ! Oh ! que ne suis-je le gant de cette main ! Je toucherais sa joue !

JULIETTE. – Hélas !

ROMÉO. – Elle parle ! Oh ! parle encore, ange resplendissant ! Car tu rayonnes dans cette nuit, au-dessus de ma tête, comme le messager ailé du ciel, quand, aux yeux bouleversés des mortels qui se rejettent en arrière pour le comtempler, il devance les nuées paresseuses et vogue sur le sein des airs !

JULIETTE. – O Roméo ! Roméo ! pourquoi es-tu Roméo ? Renie ton père et abdique ton nom ; ou, si tu ne le veux pas, jure de m'aimer, et je ne serai plus une Capulet.

ROMÉO, *à part*. – Dois-je l'écouter encore ou lui répondre ?

JULIETTE. – Ton nom seul est mon ennemi. Tu n'es pas un Montague, tu es toi-même. Qu'est-ce qu'un Montague ? Ce n'est ni une main, ni un pied, ni un bras, ni un visage, ni rien qui fasse partie d'un homme... Oh ! sois quelque autre nom ! Qu'y a-t-il dans un nom ? Ce que nous appelons une rose embaumerait autant sous un autre nom. Ainsi, quand Roméo ne s'appellerait plus Roméo, il conserverait encore les chères perfections qu'il possède... Roméo, renonce à ton nom ; et, à la place de ce nom qui ne fait pas partie de toi, prends-moi tout entière.

ROMÉO. – Je te prends au mot ! Appelle-moi seulement ton amour, et je reçois un nouveau baptême : désormais je ne suis plus Roméo.

JULIETTE. – Quel homme es-tu, toi qui, ainsi caché par la nuit, viens de te heurter à mon secret ?

ROMÉO.– Je ne sais par quel nom t'indiquer qui je suis. Mon nom, sainte chérie, m'est odieux à moi-même, parce qu'il est pour toi un ennemi : si je l'avais écrit là, j'en déchirerais les lettres.

JULIETTE. – Mon oreille n'a pas encore aspiré cent paroles proférées par cette voix, et pourtant j'en reconnais le son. N'es-tu pas Roméo et un Montague ?

ROMÉO. – Ni l'un ni l'autre, belle vierge, si tu détestes l'un et l'autre.

JULIETTE. – Comment es-tu venu ici, dis-moi ? et dans quel but ? Les murs du jardin sont hauts et difficiles à gravir. Considère qui tu es : ce lieu est ta mort, si quelqu'un de mes parents te trouve ici.

ROMÉO. – J'ai escaladé ces murs sur les ailes légères de l'amour : car les limites de pierre ne sauraient arrêter l'amour, et ce que l'amour peut faire, l'amour ose le tenter ; voilà pourquoi tes parents ne sont pas un obstacle pour moi.

JULIETTE. – S'ils te voient, ils te tueront.

ROMÉO. – Hélas ! il y a plus de péril pour moi dans ton regard que dans vingt de leurs épées : que ton œil me soit doux, et je suis à l'épreuve de leur inimitié.

JULIETTE. – Je ne voudrais pas pour le monde entier qu'ils te vissent ici.

ROMÉO. – J'ai le manteau de la nuit pour me soustraire à leur vue. D'ailleurs, si tu ne m'aimes pas, qu'ils me trouvent ici ! J'aime mieux ma vie finie par leur haine que ma mort différée sans ton amour.

William Shakespeare,
Roméo et Juliette,
traduction de François-Victor Hugo

Don Quichotte

Don Quichotte de la Manche, hidalgo quasi-cinquantenaire, lit jour et nuit tous les romans de chevalerie qui lui tombent sous la main. Un beau jour, il décide de devenir lui-même chevalier errant et de parcourir l'Espagne, en quête de hauts faits dignes de son appétit de bravoure et de gloire. Monté sur Rossinante, sa jument famélique, et accompagné de son fidèle écuyer Sancho Panza, il vivra ainsi sous la plume de l'écrivain espagnol Miguel de Cervantes (1547-1616) toutes sortes d'aventures restées célèbres. Le passage qui suit n'a pas Don Quichotte pour héros, mais Basile, un berger amoureux depuis sa plus tendre enfance de Quitéria la belle. Or, le père de Quitéria a décidé de marier sa fille à Gamache le riche, le paysan le plus fortuné du pays. Don Quichotte et Sancho Panza ont été invités à la noce. Alors que les futurs époux viennent d'arriver, Basile surgit soudain, désespéré et prêt à tout pour empêcher le mariage.

« Basile s'avança en face des mariés, et, fichant en terre son bâton, qui se terminait par une pointe d'acier, le visage pâle, les yeux fixés sur Quitéria, il lui dit, d'une voix sourde et tremblante : « Tu sais bien, ingrate Quitéria, que, suivant la sainte loi que nous professons, tu ne peux,

tant que je vivrai, prendre d'époux ; tu n'ignores pas non
plus que, pour attendre du temps et de ma diligence
l'accroissement de ma fortune, je n'ai pas voulu manquer
au respect qu'exigeait ton honneur. Mais toi, foulant aux
pieds tous les engagements que tu avais pris envers mes
honnêtes désirs, tu veux rendre un autre maître et posses-
seur de ce qui est à moi, un autre auquel ses richesses ne
donnent pas seulement une grande fortune, mais un plus
grand bonheur. Eh bien ! pour que son bonheur soit au
comble (non que je pense qu'il le mérite, mais parce que
les cieux veulent le lui donner), je vais, de mes propres
mains, détruire l'impossibilité ou l'obstacle qui s'y
oppose, en m'ôtant d'entre vous deux. Vive, vive le riche
Gamache, avec l'ingrate Quitéria, de longues et heureuses
années ; et meure le pauvre Basile, dont la pauvreté a
coupé les ailes à son bonheur et l'a précipité dans la
tombe ! » En disant cela, il saisit son bâton, le sépara en
deux moitiés, dont l'une demeura fichée en terre, et il en
tira une courte épée à laquelle ce bâton servait de fourreau ; puis, appuyant par terre ce qu'on pouvait appeler
la poignée, il se jeta sur la pointe avec autant de prompti-
tude que de résolution. Aussitôt une moitié de lame san-
glante sortit derrière ses épaules, et le malheureux, baigné
dans son sang, demeura étendu sur la place, ainsi percé de
ses propres armes.

Ses amis accoururent aussitôt pour lui porter secours,
touchés de sa misère et de sa déplorable aventure. Don
Quichotte, laissant Rossinante, s'élança des premiers, et,
prenant Basile dans ses bras, il trouva qu'il n'avait pas
encore rendu l'âme. On voulait lui retirer l'épée de la poitrine ; mais le curé s'y opposa jusqu'à ce qu'il l'eût
confessé, craignant que lui retirer l'épée et le voir expirer
ne fût l'affaire du même instant. Basile, revenant un peu
à lui, dit alors d'une voix affaiblie et presque éteinte : "Si
tu voulais, cruelle Quitéria, me donner dans cette dernière
crise la main d'épouse, je croirais que ma témérité est
excusable, puisqu'elle m'aurait procuré le bonheur d'être
à toi." (...) Quand Don Quichotte entendit la requête du
blessé, il s'écria à haute voix que Basile demandait une
chose très juste, très raisonnable, et très faisable en outre,
et que le seigneur Gamache aurait tout autant d'honneur
à recevoir la dame Quitéria, veuve du valeureux Basile,
que s'il la prenait aux côtés de son père : "Ici, d'ailleurs,

ajouta-t-il, tout doit se borner à un *oui*, puisque la couche nuptiale de ses noces doit être la sépulture.''

Quitéria, toute honteuse et les yeux baissés, prenant dans sa main droite celle de Basile, lui répondit : ''C'est de mon libre mouvement que je te donne ma main de légitime épouse, et que je reçois celle que tu me donnes de ton libre arbitre, que ne trouble ni n'altère en rien la catastrophe où t'a jeté ton désespoir irréfléchi. – Oui, je te la donne, reprit Basile, sans trouble, sans altération, avec l'intelligence aussi claire que le ciel ait bien voulu me l'accorder ; ainsi je me donne et me livre pour ton époux. – Et moi pour ton épouse, repartit Quitéria, soit que tu vives de longues années, soit qu'on te porte de mes bras à la sépulture. – Pour être si grièvement blessé, dit en ce moment Sancho, ce garçon-là jase beaucoup ; qu'on le fasse donc cesser toutes ces galanteries et qu'il pense à son âme, car m'est avis qu'il l'a plutôt sur la langue qu'entre les dents.''

Miguel de Cervantes,
Don Quichotte,
traduction de Louis Viardot

Histoire de Tom Jones

Tom Jones, enfant bâtard, est recueilli par Mr Allworthy, un riche et généreux gentilhomme. Élevé dans la maison de ce dernier, Tom devient un vigoureux jeune homme, habile à chevaucher et à chasser. Mr Western, voisin de Mr Allworthy, a une fille unique, Sophie. Sophie et Tom se connaissent depuis l'enfance. Un jour, Mr Western demande à sa fille de l'accompagner à la chasse, un sport pour lequel il éprouve une véritable passion. Tom Jones est de la partie. Henry Fielding (1707-1754), auteur de ce roman anglais qui fit grand scandale lors de sa parution, raconte ainsi cet épisode mouvementé :

« Le second jour qu'elle suivit son père à la chasse, elle regagnait le château, lorsque son cheval, dont la fougue aurait exigé une main plus expérimentée, se cabra tout à coup et l'exposa au péril le plus imminent. Tom, qui la suivait à peu de distance, accourut aussitôt à son secours, se précipita de son cheval et saisit celui de Sophie par la bride. L'animal indomptable se dressa sur ses pieds de derrière et renversa son aimable fardeau que Tom reçut dans ses bras.

Sophie fut si effrayée qu'elle ne se trouva pas en état de répondre sur-le-champ à Jones qui lui demandait avec empressement si elle ne s'était fait aucun mal. Enfin revenant à elle, elle l'assura qu'elle en était quitte pour la peur, et le remercia d'être venu à son secours.

— Si j'ai été assez heureux pour vous rendre un service, Madame, répondit Jones, j'en suis suffisamment récompensé ; car je vous assure que j'aurais voulu vous préserver du moindre péril, dussé-je me faire plus de mal encore que je m'en suis fait cette fois.

— Plus de mal ! s'écria Sophie en tressaillant ; comment ! j'espère que vous n'êtes pas blessé ?

— N'ayez nulle inquiétude, Madame, répondit Jones, je bénis le ciel que vous ayez échappé au danger que vous avez couru : un bras cassé n'est qu'une bagatelle en comparaison de ce que je craignais pour vous.

— Un bras cassé ! s'écria Sophie, Dieu veuille qu'il n'en soit rien !

— Je ne puis guère en douter, Madame, reprit Jones, mais permettez-moi d'abord de songer à vous. Mon bras droit est encore à votre service pour vous aider à traverser le champ voisin, et à retourner de là au château qui en est tout près.

Sophie, voyant le bras gauche de Jones qui pendait à son côté, tandis qu'il se servait de l'autre pour la conduire, ne douta plus de la vérité. Elle devint plus pâle qu'elle ne l'avait été quand elle ne craignait que pour elle-même ; tous ses membres furent saisis d'un tel tremblement, que Jones pouvait à peine la soutenir ; et comme son âme n'était pas moins agitée, elle ne put s'empêcher de jeter sur son jeune guide un regard si tendre, qu'il annonçait des émotions plus vives que celles que la pitié et la reconnaissance peuvent exciter dans le cœur d'une femme, s'il ne s'y joint une troisième passion plus puissante encore. (...)

Le caractère généreux de Sophie attribua la conduite de Jones à un grand fonds de courage qui fit une profonde impression sur son cœur ; on sait qu'il n'est point de qualité qui inspire aux femmes plus d'intérêt pour les hommes ; cela provient, si nous en croyons l'opinion commune, de la timidité naturelle au beau sexe, « timidité, dit M. Osborne, qui est si grande, que la femme est le plus lâche de tous les êtres que Dieu ait jamais créés ». Réflexion plus sévère que juste et charitable. (...)

Quoi qu'il en soit, il est certain que cet accident produisit beaucoup d'effet sur Sophie, et après les plus grandes recherches, je suis porté à croire que la charmante Sophie ne fit pas alors moins d'impression sur le cœur de Jones. Disons aussi que depuis quelque temps il avait commencé à sentir le pouvoir irrésistible de ses charmes. »

Henry Fielding,
Histoire de Tom Jones,
traduction de M. Defauconpret

Les Fiancés

Les Fiancés *est le premier grand roman historique de la littérature italienne. Écrit en 1840, il fait vivre ses personnages dans la Lombardie du XVII*e *siècle occupée par les Espagnols.*
Renzo et Lucia sont fiancés. Mais don Rodrigo, seigneur de la région, veut empêcher le mariage et enlever la jeune fille. Il fait menacer don Abbondio, le prêtre, qui n'ose les marier. Renzo décide alors d'user d'un stratagème. Il suffit, en effet, pour qu'un mariage soit prononcé, que deux fiancés, en présence de témoins, échangent devant un ecclésiastique les phrases rituelles ordinairement formulées lors d'une telle cérémonie. Avec l'aide de deux amis, Tonio et son frère Gervaso, qui sont venus rembourser une dette de vingt-cinq berlinghes (ancienne monnaie milanaise) à don Abbondio le curé, Renzo et Lucia vont s'introduire chez celui-ci pour mener à bien leur plan. Cette ruse réussira-t-elle aussi bien que celle qu'a imaginée Roxane pour que le capucin la marie à Christian ?

« – Voici vingt-cinq berlinghes neuves, dit Tonio, en tirant un petit paquet de sa poche.

– Voyons, – répéta don Abbondio, et il prit le paquet, remit ses lunettes, l'ouvrit, en tira les pièces, les compta, les tourna, les retourna, les trouva sans défaut. (...)

– Maintenant, – dit Tonio, – ayez la bonté de me mettre un peu tout ça noir sur blanc.

– Eh, comme les gens sont devenus soupçonneux ! dit don Abbondio. Vous n'avez pas confiance en moi ?

– Comment, monsieur le curé, pas confiance ? Vous me vexez. Mais, comme mon nom est inscrit sur votre gros livre du côté des dettes... Donc, puisque vous avez déjà pris la peine de l'écrire une fois, alors... on ne sait qui vit ni qui meurt...

— Bien, bien – interrompit don Abbondio, et en grommelant, il tira à lui un tiroir de la table, en sortit du papier, un porte-plume et un encrier, et se mit à écrire, en répétant à haute voix les mots au fur et à mesure qu'ils venaient sous sa plume. Pendant ce temps, Tonio, et, sur un signe qu'il lui fit, Gervaso, se plantèrent droit devant la table, de façon à cacher au curé la vue de la porte ; puis, comme pour passer le temps, ils se mirent à frotter le plancher de leurs pieds, pour donner à ceux qui étaient dehors le signal d'entrée, et, en même temps, pour couvrir le bruit de leurs pas. Don Abbondio, plongé dans ses écritures, ne faisait attention à rien. Au frottement des pieds, Renzo saisit Lucia par le bras, le serra pour lui donner du courage et avança en la tirant derrière lui toute tremblante, car d'elle-même elle eût été incapable de venir. Ils entrèrent tout doucement, sur la pointe des pieds, retenant leur respiration et se cachèrent derrière les deux frères.

Cependant don Abbondio, qui avait fini d'écrire, relut attentivement, sans lever les yeux du papier ; il le plia en quatre en disant ; « Maintenant, vous serez satisfaits ? – et, en levant d'une main les lunettes de son nez, il tendit de l'autre le reçu à Tonio, tout en levant la tête.

Tonio allongea la main pour le prendre, et se retira d'un côté ; Gervaso, sur un signe de lui, s'écarta de l'autre côté ; au milieu, comme derrière un rideau de théâtre qui s'ouvre apparurent Renzo et Lucia.

Don Abbondio les vit confusément, puis clairement, fut épouvanté, ébahi, furieux, réfléchit, prit une résolution ; tout cela pendant que Renzo prononçait ces mots : – Monsieur le curé, en présence de ces témoins, celle-ci est ma femme. – Il n'avait pas encore fermé la bouche, que don Abbondio, laissant tomber le papier, avait déjà saisi et levé la lampe de la main gauche, empoigné, de la main droite, le tapis qui recouvrait la table, et qu'il tira violemment à lui, jetant à terre livre, papier, encrier et poudre à sécher, puis bondissant entre le fauteuil et la table, il s'était approché de Lucia. La pauvre fille, de sa voix douce, et alors toute tremblante avait à peine pu dire : – et celui-ci... – que don Abbondio lui avait brutalement jeté le tapis sur la tête, pour l'empêcher de prononcer la formule complète. Et aussitôt, laissant tomber la lampe qu'il tenait dans l'autre main, il s'aida de celle-ci pour encapuchonner la jeune fille avec le tapis, l'étouffant presque ; en même temps, il criait de toutes ses forces : – Perpétua ! Perpétua ![1] Trahison ! Au secours !   Le lumignon qui mourait sur le plancher, jetait une lueur faiblissante et vacillante sur Lucia, qui, tout à fait éperdue, n'essayait même pas de se dégager, telle une statue d'argile ébauchée, sur laquelle l'artiste a jeté un drap humide.

La lumière complètement éteinte, don Abbondio laissa la pauvre fille et se mit à chercher à tâtons la porte qui donnait sur une pièce intérieure ; il la trouva, y entra et s'y enferma, sans cesser de crier : – Perpétua ! Trahison ! Au secours ! Sortez de cette maison ! Sortez de cette maison ! – Dans l'autre pièce, c'était la plus complète confusion. Renzo cherchant à arrêter le curé et ramant avec ses mains comme s'il jouait à colin-maillard, était arrivé à la porte et frappait, en criant : – Ouvrez, ouvrez ; ne faites pas de tapage. – Lucia appelait Renzo, d'une voix éteinte, et lui disait en suppliant : – Allons-nous-en, allons-nous-en, pour l'amour de Dieu. – Tonio, à quatre pattes, balayait le plancher de ses mains, pour essayer de retrouver son reçu. Gervaso, pris d'une terreur panique, criait et faisait des bonds, en cherchant la porte de l'escalier pour se sauver.

Au milieu de cette mêlée, nous ne pouvons nous empêcher de nous arrêter un moment pour faire une remarque. Renzo, qui faisait du tapage nocturne dans la maison d'autrui, après s'y être introduit en cachette, et y tenait le maître de maison assiégé dans une pièce, a tout l'air d'un oppresseur ; pourtant, en fin de compte, c'est lui l'opprimé. Don Abbondio, surpris, mis en fuite, épouvanté, tandis qu'il s'occupait tranquillement de ses affaires semblerait être la victime ; et pourtant, en réalité, c'était lui l'oppresseur. C'est ainsi que va le monde..., je veux dire c'est ainsi qu'il en allait au XVIIe siècle.

Alles Alessandro Manzoni,
Les Fiancés,
traduction de Armand Monjo,
© Temps Actuels

---

1. Nom de la servante de don Abbondio.

3
SOLUTIONS DES JEUX

Quel genre d'amoureux
– ou d'amoureuse – êtes-vous ?

(p. 303)

Pour les garçons :
Si vous avez obtenu un plus grand nombre de ☆ : vous êtes sans nul doute de la trempe de Cyrano. Pour vous, l'amour passe avant toutes choses, et vous seriez capable d'affronter tous les dangers pour celle que vous aimez. Le revers de la médaille ? Votre extrême sensibilité. On peut vous blesser très – trop – facilement et il est possible que certaines personnes profitent de votre générosité sans trop de scrupules. Aussi, faites attention de ne pas accorder votre confiance à qui ne la mérite pas.

Si les △ **sont en plus grand nombre :** vous êtes capable de sentiments amoureux intenses, mais vous savez garder les pieds sur terre. Vous êtes prêt à faire beaucoup de choses pour une femme, mais en restant dans les limites du raisonnable. Peut-être n'avez-vous pas tout à fait tort, parfois cependant, il faut savoir oublier quelque peu la raison si l'on veut connaître tous les bonheurs de l'amour. Et, comme vous êtes fondamentalement équilibré, vous ne risquez pas grand-chose à laisser vos sentiments s'exprimer librement. La sagesse, chez vous, prévaudra toujours.

Si vous avez obtenu une majorité de ○ : on ne peut pas dire que l'amour soit au premier plan de vos préoccupations ! Prudent – parfois à l'excès –, redoutant la spontanéité, vous tenez à contrôler vos sentiments. Vous n'accordez pas votre confiance très facilement et vous savez déjouer les pièges de la séduction. Soit. Mais peut-être passez-vous à côté de grandes joies en ne donnant pas suffisamment d'importance à vos émotions. Savoir écouter ses sentiments n'est pas incompatible avec la maîtrise de soi. L'intelligence, souvent, se nourrit de l'amour. Aussi, ne soyez pas trop distant, n'étouffez pas vos impulsions, vous risqueriez de regretter plus tard votre excès de rigueur.

Pour les filles :

Si vous avez obtenu un plus grand nombre de ☆ : lorsque vous êtes amoureuse, plus rien d'autre ne compte que la présence de l'être aimé. Votre générosité naturelle vous pousse à lui faire plaisir avant de penser à vous-même. Vos sentiments révèlent une grande richesse intérieure, mais aussi une certaine fragilité : comme vous donnez sans partage, il se peut qu'à l'occasion on profite de vous sans vergogne, ce qui vous blesserait profondément. Sachez préserver l'intensité de vos sentiments tout en conservant cette part de raison qui permet d'éviter, le moment venu, les déceptions trop cruelles. En tout cas, si un garçon est aimé de vous, il a bien de la chance !

Si les △ sont en plus grand nombre : telle Roxane, vous êtes aussi sensible à l'esprit d'un garçon qu'à son charme physique. Vous ne pourriez pas aimer un « ravissant idiot », vous vous lasseriez très vite de lui. Une fois que vous avez accordé votre amour, en revanche, c'est pour longtemps. Vous n'êtes ni volage ni irréfléchie, et l'amour chez vous est tout à la fois intense et raisonnable. Tout comme Roxane, vous seriez capable d'affronter mille dangers pour rejoindre votre bien-aimé et, comme elle, vous sauriez inventer les ruses nécessaires pour parvenir à vos fins. Si vous rencontrez le garçon qui vous convient, il y a toutes les chances pour que vous partagiez avec lui un bonheur profond et durable.

Si vous avez obtenu une majorité de ○ : ce n'est certainement pas vous qui traverseriez des lignes ennemies pour aller rejoindre votre bien-aimé sur un champ de bataille ! Pour vous, ce sont les garçons qui doivent satisfaire les exigences des femmes, et non l'inverse. Lorsqu'un garçon essaye de vous séduire, il lui faut sans doute beaucoup de patience, voire d'abnégation, pour parvenir à vous intéresser. Vous n'accordez pas votre confiance facilement et vous la retirez volontiers à la première alerte. La force de votre personnalité est peut-être un atout dans beaucoup de domaines mais, dans celui de l'amour, vous risquez de vous retrouver bien seule si vous allez trop loin dans votre intransigeance. Aussi, efforcez-vous d'être plus souple. En faisant preuve d'un peu plus de douceur dans vos relations avec les garçons, vous connaîtrez peut-être de grandes joies qu'une attitude trop abrupte vous empêche d'éprouver.

Douze questions pour commencer
(p. 308)

1 : B (p. 13) - 2 : C (p. 27) - 3 : C (p. 60) - 4 : B (p. 37) -
5 : A (p. 33) - 6 : C (p. 58) - 7 : B (p. 63) - 8 : C (p. 68-69) -
9 : A (p. 68) - 10 : B (p. 66) - 11 : B (p. 73) - 12 : A (p. 71)

Si vous obtenez plus de 8 bonnes réponses : bravo ! C'est
un excellent résultat. De toute évidence, le personnage de
Cyrano vous a intéressé. Peut-être même vous êtes-vous
un peu identifié à lui. Continuez à lire la pièce avec autant
d'attention et vous serez bientôt capable de déclamer la
tirade du nez avec conviction !

Si vous obtenez de 5 à 8 bonnes réponses : vous n'avez
peut-être pas accordé suffisamment d'attention à ce premier acte. Il serait bon que vous relisiez les passages que
vous avez le moins retenus. Vous n'en éprouverez que
plus de plaisir à lire la suite de la pièce.

Si vous obtenez moins de 5 bonnes réponses : apparemment, Cyrano de Bergerac ne vous intéresse guère...
Essayez une deuxième lecture, sinon, passez à un autre
livre qui saura mieux éveiller votre attention.

Z... à la fin !
(p. 310)

1. Gaz – 2. Jazz – 3. Fez – 4. Riz – 5. Assez
Le personnage de roman à découvrir était : Zazie.

Rébus
(p. 310)

1. Nez-C-Serre (nécessaire) – **2.** Pied-deux nez (pied de
nez)

Nez en moins
(p. 311)

1 : W (La Fontaine) – 2 : V (Richelieu) – 3 : Y (Corneille)
– 4 : Z (Mme de Sévigné) – 5 : X (Molière)

Dix questions pour continuer
(p. 312)

1 : C (p. 89) - 2 : A (p. 90) - 3 : C (p. 119) - 4 : B (p. 112) -
5 : C (p. 112) - 6 : C (p. 122) - 7 : B (p. 125) - 8 : A
(p. 129) - 9 : B (p. 182) - 10 : A (p. 196)

Si vous obtenez plus de 10 bonnes réponses : si l'on en juge
par votre brillant résultat, ces deux actes vous ont pas-
sionné. Précipitez-vous sur la suite de la pièce : elle en
vaut la peine.

Si vous obtenez entre 5 et 10 bonnes réponses : sans doute
avez-vous retenu l'essentiel, mais n'hésitez pas à relire les
passages auxquels vous n'avez peut-être pas accordé
suffisamment d'attention, sinon, vous risquez de vous
perdre dans la suite des événements.

Si vous obtenez moins de 5 bonnes réponses : il est urgent
que vous relisiez les deux actes, sinon, le reste de la pièce
vous échappera.

Rébus
(p. 314)

1. Nez-bulles-œufs (nébuleux) – **2.** Nez-crocs-pôle (nécro-
pole)

Trouvez l'acrostiche
(p. 315)

Voici les deux groupes de vers qu'il fallait retrouver :
1. Sur les cuivres, déjà, glisse l'argent de l'aube !
   Etouffe en toi le dieu qui chante, Ragueneau !
   L'heure du luth viendra, – c'est l'heure du fourneau !
(p. 87)
2. (Je le vois...)
   Sans regarder, de peur que cela ne les trouble ;
   Et dire ainsi mes vers me donne un plaisir double,
   Puisque je satisfais un doux faible que j'ai
   Tout en laissant manger ceux qui n'ont pas mangé !
(p. 101)
Les deux mots à découvrir étaient bien sûr « sel » et
« sept ».

Le festin
(p. 316)

1 : B - 2 : D - 3 : A - 4 : F - 5 : G - 6 : E - 7 : C

Voyage dans la Lune
(p. 316)

1 : A - 2 : C - 3 : A - 4 : C - 5 : C

Mots croisés dans l'espace
(p. 318)

Horizontalement :
I. Neptune – II. Apollo – III. Vie. Mer – IV. Ta. La –
V. Tréma – VI. Té. Echo – VII. Evasion

Verticalement :
1. Navette – 2. Epi. Rev – 3. Poète – 4. Tl. Ames –
5. ULM. Aci – 6. Noël. Ho – 7. Rayon

Dix questions pour conclure
(p. 319)

1 : C (p. 202) - 2 : A (p. 204) - 3 : A (p. 263) - 4 : C (p. 245) -
5 : C (p. 246-247) - 6 : B (p. 247) - 7 : A (p. 240-241) -
8 : B (p. 205) - 9 : C (p. 257) - 10 : B (p. 214)

Si vous obtenez plus de 8 bonnes réponses : vous allez devenir un spécialiste de Cyrano de Bergerac ! Il y a fort à
parier que vous connaissez déjà par cœur certains vers de
la pièce. Félicitations !

Si vous obtenez entre 4 et 7 bonnes réponses : vous auriez
pu faire beaucoup mieux. Une deuxième lecture s'impose,
même si elle ne porte que sur les passages que vous avez
négligés.

Si vous obtenez moins de 4 bonnes réponses : apparemment, ce quatrième acte vous a semblé ennuyeux, ou peut-
être pensiez-vous à autre chose en le lisant ? En tout cas,
après un tel résultat, il faut de toute urgence le relire en
entier !

Détournement de vers
(p. 320)

Voici les vers qu'il fallait retrouver :

Sabre de bois ! Je veux vous étonner aussi ! (p. 282)
Mais sœur Marthe a repris un pruneau de la tarte (p. 268)
Allons, laissez tomber les feuilles de platane (p. 284)
Ce matin : je l'ai vu. C'est très vilain, sœur Marthe
(p. 268)
Oui, je suis indigné !... Hier, on jouait *Scapin* (p. 293)
Vous viendrez tout à l'heure, et je vous ferai boire (p. 282)
Je vous jure !... Pas là ! non ! pas dans ce fauteuil ! (p. 296)
Pendant que je restais en bas, dans l'ombre noire (p. 294)
Un grand bol de bouillon... Vous viendrez ? Oui, oui, oui.
(p. 282)
... Et samedi, vingt-six, une heure avant dîné (p. 292)
– Pourquoi vous être tu pendant quatorze années (p. 291)

Mots croisés
(p. 321)

Horizontalement :
I. Ragueneau – II. Roxane – III. Eminence – IV. Ci. Do –
V. Rehaussé – VI. Sue. Se. Née.
Verticalement :
1. Rieurs – 2. Eu – 3. Guiche – 4. Nia – 5. Ere. Us –
6. Non. Se – 7. Excès – 8. Aae. En – 9. Un – 10. Ecole.